LA GUERRE AUX BOURRELETS

ÉLIMINEZ LES POIGNÉES D'AMOUR ET AUTRES PETITS MOUS

MAX TOMLINSON

LA GUERRE AUX BOURRELETS

ÉLIMINEZ LES POIGNÉES D'AMOUR ET AUTRES PETITS MOUS

Traduit de l'anglais par LINDA NANTEL

Guy Saint-Jean
ÉDITEUR

À ma femme, à ma merveilleuse famille et à mes chers amis

AVANT-PROPOS

Je suis passionné de naturopathie et de médecine douce depuis plusieurs années et je suis fier d'avoir contribué à la faire reconnaître pour ce qu'elle est: un moyen très efficace d'atteindre et de maintenir une bonne santé.

Ce livre est fondé sur les nombreux succès que je récolte à ma clinique depuis plus de 25 ans en aidant mes clients à se débarrasser de leurs dépôts adipeux localisés. Quelle satisfaction de les voir perdre du poids et recouvrer la santé! Ma démarche repose sur plusieurs années d'étude, d'observation et d'expérimentation. Je ne peux pas vous fournir de preuves découlant d'essais à double insu, de tests contre-vérifiés ou d'essais cliniques comparatifs, mais je suis en mesure de vous proposer une nouvelle approche permettant de perdre ces accumulations persistantes de graisse et de resplendir de nouveau de santé.

J'ai développé mon programme en ciblant les dépôts adipeux les plus frequents que j'ai pu observer chez mes clients: des hommes bien proportionnés qui avaient un surplus de graisse autour de l'abdomen et dans le bas du dos; des jeunes femmes qui se sont imposé des régimes sévères pour perdre leurs fesses et qui ont plutôt maigri du visage et des seins; des dames ménopausées qui, avec le temps, avaient tendance à accumuler de la graisse dans la région abdominale et sous les omoplates. J'ai passé plusieurs années à lire des études et à faire des liens afin de trouver une manière efficace de les aider. Puis, des progrès ont permis de raffiner des tests de laboratoire d'un nouveau genre appelés «tests de médecine fonctionnelle», ce qui m'a beaucoup encouragé à aller de l'avant.

Ce livre vise deux buts très précis. Le premier est de vous aider à vous débarrasser des dépôts adipeux disgracieux formés au fil des ans. Je veux que vous soyez en bonne santé et que vous en soyez libéré à tout jamais. Les programmes suggérés vous aideront à restaurer votre silhouette et à avoir l'air en meilleure santé. Vous apprendrez aussi à faire une cure de détoxication et à adopter un mode de vie plus équilibré, à vous regarder dans le moment présent, «ici et maintenant», en prévenant les maladies liées au vieillissement et au gain de poids indésirable.

Le deuxième but de ce livre est de vous faciliter les choses. Il est simple, facile à utiliser, les explications sont directes et les outils efficaces. Si vous prenez le temps et écoutez ce que j'ai à vous dire, vous serez gagnant à coup sûr. Je n'ai pas envie de vous donner des listes interminables de choses à faire ou à ne pas faire. Je veux simplement vous inspirer à utiliser votre bon jugement et à suivre mon programme afin que vous obteniez les meilleurs résultats possible.

Osez relever le défi. Fixez-vous de nouveaux objectifs et vous serez bientôt fier de **VOUS** et de la nouvelle vitalité que vous aurez acquise au cours de votre programme.

CHAPITRE 1

Comment réduire
les bourrelets

Bienvenue au chapitre premier, dans lequel j'élabore sur la possibilité de réduire les dépôts adipeux et sur les raisons pour lesquelles nous emmagasinons de la graisse dans certaines parties spécifiques de notre corps. J'identifie quelles sont les six zones qui, selon mon expérience clinique, sont les plus suceptibles de vous causer des ennuis.

★ Poignées d'amour – accumulation de graisse qui déborde derrière et sur les côtés quand on porte un jean ♀ ♂
★ Graisse abdominale – un ventre pas très appétissant ♀ ♂
★ Bourrelets sous les omoplates – ils empêchent souvent de bien ajuster son soutien-gorge ♀
★ Bras flasques – stockage de graisse dans la partie supérieure des bras ♀
★ Dépôts adipeux sur les cuisses et les fesses – cuisses grasses et grosses fesses ♀
★ Seins protubérants – un problème réservé aux hommes! ♂

Vous sentez-vous concerné par l'un ou plusieurs de ces problèmes? Voulez-vous avoir un poids plus stable et façonner votre corps une fois pour toutes? Le moment est venu de mieux comprendre l'origine de vos dépôts adipeux, de vous débarrasser de votre poids inutile et de corriger votre silhouette.

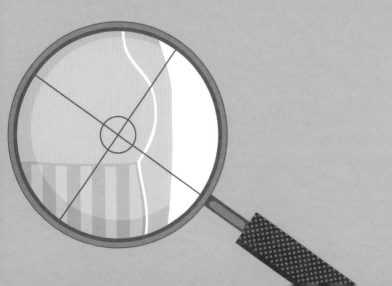

♀ = femme
♂ = homme

Réduction de la graisse localisée:
LE FAUX

Avant d'aller plus loin, je dois expliquer clairement ce qu'est la réduction des dépôts adipeux. Il ne s'agit PAS de faire des exercices réservés à une partie spécifique du corps dans le but de perdre du poids à cet endroit précis.

Par exemple, vous pourriez avoir envie de faire des redressements assis dans l'espoir d'avoir un abdomen plus svelte. **ARRÊTEZ MAINTENANT.** Aucune preuve clinique, aucune étude médicale récente ni aucun spécialiste de la condition physique ne peut affirmer que les dépôts adipeux peuvent disparaître en faisant des exercices réservés à ces zones précises. En résumé, ce n'est pas en faisant travailler les muscles de votre abdomen que vous parviendrez à réduire les dépôts adipeux qui y sont accumulés. Les muscles et la graisse sont des tissus complètement distincts. Si vous persistez à faire tous ces exercices, vous aurez un meilleur tonus abdominal… mais vous serez toujours gras.

«Il ne s'agit **PAS** de faire des exercices réservés à une partie spécifique de votre corps dans le but de perdre du poids à cet endroit précis.»

J'ai souvent vu de jeunes femmes ayant de grosses cuisses qui s'adonnaient religieusement au vélo d'intérieur. Après des mois d'efforts acharnés et de transpiration, leurs cuisses étaient encore plus grosses. Pourquoi? C'est que l'œstrogène fait en sorte de stocker une réserve de graisse dans les cuisses des jeunes femmes en prévision d'une grossesse éventuelle. Ce dépôt adipeux est donc parfaitement naturel et très féminin lorsqu'il est bien proportionné (avec l'âge, le taux d'œstrogène décline et la graisse des fesses et des cuisses migre plutôt vers l'abdomen).

POUR PERDRE VOTRE GRAISSE, VOUS DEVEZ COMPRENDRE POURQUOI ELLE S'EST EMMAGASINÉE DANS UN ENDROIT PRÉCIS DE VOTRE CORPS.

Réduction de la graisse localisée:
LE VRAI

Mon programme vise à vous faire perdre du poids dans des zones spécifiques comme aucun autre régime alimentaire ou d'exercice ne saurait le faire.

Après de nombreuses années d'expérience clinique et de tests de laboratoire, j'en suis arrivé à la conclusion que l'une des principales causes des dépôts adipeux localisés résidait dans un **DÉSÉQUILIBRE HORMONAL.**

Les hormones sont des messagers chimiques qui coordonnent une multitude de processus cellulaires et organiques. Certaines ont des effets à long terme, comme l'hormone de croissance et les hormones sexuelles, responsables des transformations au moment de la puberté. D'autres hormones ont des effets à court terme, comme l'insuline, qui régule notre glycémie chaque fois que nous mangeons.

Certains culturistes et athlètes mal avisés prenant des stéroïdes pour augmenter leur masse musculaire finissent par devenir très larges et disproportionnés, ce qui prouve que les hormones ont un effet réel sur le corps.

Les hormones gouvernent aussi les zones où nous emmagasinons la graisse; celles-ci sont différentes chez l'homme et la femme. La femme a généralement une couche de graisse sous-cutanée tandis que l'homme emmagasine la graisse dans la région abdominale, près des organes internes.

> «Même un petit déséquilibre hormonal peut avoir des conséquences majeures sur notre organisme.»

LE DÉSÉQUILIBRE HORMONAL

De la même façon que les stéroïdes peuvent augmenter la masse musculaire, les autres hormones, lorsqu'il y a déséquilibre, peuvent créer une accumulation de liquide ou de graisse localisée au niveau des hanches, des jambes et de l'abdomen, entre autres. On sait que le manque de sommeil peut aussi affecter notre taux d'insuline. La perte d'une heure et demie de sommeil par nuit risque d'élever notre taux d'insuline, ce qui peut créer à long terme un dépôt adipeux dans la région abdominale. Même un petit déséquilibre hormonal peut avoir des conséquences majeures sur notre organisme.

Lisez les pages suivantes pour mieux comprendre ce qu'est un déséquilibre hormonal. En résumé, ce problème peut être causé par la combinaison d'une mauvaise alimentation, d'un manque d'exercice et de facteurs liés à notre mode de vie (stress, pollution, etc.).

Faisons le **POINT**

Pour réduire définitivement vos dépôts adipeux, vous devez rétablir votre équilibre hormonal. Mon expérience clinique et mon intérêt pour la médecine fonctionnelle et les suppléments alimentaires m'ont permis d'identifier les hormones responsables des dépôts adipeux et d'établir un programme efficace visant à contrer ce problème. Je peux aussi vous aider à vous défaire d'un amas graisseux spécifique grâce à certains outils.

LA MÉDECINE FONCTIONNELLE

La médecine fonctionnelle est une approche personnalisée misant d'abord sur la prévention des maladies. Les praticiens cherchent les causes sous-jacentes de la maladie au lieu de se contenter d'apaiser les symptômes. Ils utilisent des tests de fine pointe afin d'analyser avec acuité ce qui cloche chez leurs patients. Dans ma clinique, j'utilise ces tests de sang, d'urine ou de salive pour cibler des problèmes hormonaux, s'il y a lieu. Ils me permettent de mieux comprendre le fonctionnement particulier d'une glande, d'un organe ou d'un système. Par exemple, je peux offrir à une personne une combinaison de vitamines, de minéraux et d'herbes médicinales pour supporter sa thyroïde si l'un des tests révèle que sa glande ne fonctionne pas de manière optimale.

«Mes questionnaires efficaces vous permettront d'évaluer votre état de santé en regard de vos dépôts adipeux spécifiques.»

Ces tests de laboratoire étant coûteux et parfois difficiles d'accès selon les régions, vous trouverez au chapitre 3 des questionnaires efficaces vous permettant d'évaluer votre état de santé en regard de vos dépôts adipeux spécifiques. Même si ces tests sont différents de ceux que j'utilise en clinique, ils sont utiles pour trouver l'origine du problème et identifier les solutions adéquates. J'ai passé plus de dix ans à peaufiner chacun de ces tests et je les ai aussi fait passer à plusieurs clients. Leur but est d'analyser les symptômes communs indicateurs d'une dysfonction hormonale spécifique pouvant engendrer l'apparition de dépôts adipeux inesthétiques.

LES SUPPLÉMENTS ALIMENTAIRES

Nous sommes tous familiers avec les produits vitaminiques et les minéraux. Plusieurs d'entre nous ont perdu de l'argent en achetant le dernier supplément à la mode. Nous avons la mauvaise habitude de prendre ces produits au hasard sans savoir s'ils procurent des bienfaits réels à notre organisme.

Ce livre vous fera découvrir que la science de la nutrition a beaucoup évolué. Nous savons maintenant avec certitude que la combinaison de certains nutriments, pris sous forme de suppléments, peut s'avérer fort utile: herbes, vitamines, minéraux et autres produits sont aptes à travailler de concert pour améliorer notre santé. Un bon exemple de cette synergie très efficace est un mélange de tyrosine, de laminaire, de vitamines du groupe B et de cuivre que j'utilise pour raviver la fonction thyroïdienne trop lente, un problème souvent associé à la présence de bourrelets sous les aisselles.

J'ai été l'un des artisans de cette nouvelle science de la nutrition et mes clients en récoltent les fruits depuis de nombreuses années. En suivant les recommandations de ce livre avec soin, vous serez en mesure de profiter à votre tour de tous les bienfaits qu'elles peuvent vous apporter.

Il est essentiel de rétablir votre équilibre hormonal puisqu'il n'est pas suffisant de s'acharner uniquement à faire disparaître vos dépôts adipeux. Je vous propose donc une approche à trois volets qui inclut des exercices ciblés, une alimentation plus saine et la prise de suppléments spécifiques à votre cas. Cette synergie vous permettra de résoudre votre problème.

DES EXERCICES SUR MESURE

Si vous craignez de devoir vous faire suer au gym pour améliorer votre silhouette, détendez-vous. Je prône plutôt des exercices «bien pensés» et peu difficiles sous forme de routine taillée sur mesure pour votre problème particulier. Je vous rappelle que certaines formes d'exercice intense pourraient accentuer votre problème (voir encadré à gauche).

Il est essentiel de s'amuser tout en se mettant en forme. Je veux que aimiez vous entraîner et que vous soyez conscient des bienfaits et des changements extraordinaires que l'exercice vous procure. Je vous invite à suivre un programme d'exercice efficace qui, de concert avec mon programme alimentaire et la prise de suppléments spécifiques, vous aidera à éliminer vos dépôts adipeux.

Soyons clair: pour vous défaire de votre problème, il est essentiel de faire de l'exercice.

PRUDENCE!

Certains exercices intenses pourraient faire augmenter vos dépôts adipeux. Par exemple, le vélo d'intérieur musclera davantage vos cuisses tout en favorisant le stockage de la graisse dans cette région. De plus, si vous courez pendant plus de 45 minutes, vous pourriez voir votre graisse abdominale augmenter puisque votre corps libérera du cortisol en réponse au stress causé par l'exercice intense, ce qui peut provoquer un ralentissement de la thyroïde.

POURQUOI MODIFIER MON ALIMENTATION?

Les naturopathes comme moi invitent les gens à changer leur mauvaise alimentation afin de retrouver un poids normal et d'améliorer leur silhouette.

Tous les programmes correctifs que j'ai créés sont fondés sur la cuisine méditerranéenne, excellente pour la santé. Pour chaque problème spécifique, je recommande aussi des changements particuliers méritant d'être appliqués. Vous vous apprêtez à vivre une expérience culinaire axée sur la santé, le goût et la variété. Vous apprendrez aussi à réduire votre consommation de viande, de pain blanc, de sucre et de sel. Aucun de ces changements diététiques n'est trop difficile et vous pourrez jouir d'une meilleure santé et d'un véritable sentiment de bien-être.

Notez que j'évite d'utiliser le mot «diète», qui a été galvaudé par l'industrie de la perte de poids. Il revêt aussi des connonations de restriction alimentaire et de perte de poids miraculeuse, ce qui n'apporte aucun résultat valable à long terme.

Mes programmes ne visent pas une perte de poids spectaculaire. Je vous invite plutôt à manger mieux afin d'avoir une vie plus saine, plus active et mieux remplie. Je souhaite que vous soyez tellement inspiré par cette nouvelle façon de vous alimenter que vous n'aurez plus jamais envie de revenir à vos anciennes habitudes. C'est ainsi que vous pourrez vous débarrasser définitivement de vos accumulation de graisse.

La réduction des dépôts adipeux consiste à perdre de la graisse dans un endroit précis du corps en corrigeant un déséquilibre hormonal à l'aide de suppléments et en améliorant la santé globale grâce à une saine alimentation et à des exercices conçus expressément pour remodeler la silhouette.

Dans les pages suivantes, j'explique en détail quelles sont les hormones qui affectent telle ou telle partie du corps. Prenez le temps de tout lire puisqu'il est important que vous compreniez bien les raisons qui ont causé votre gain de poids.

LE ROBERT définit ainsi le mot «diète»:

1. Régime alimentaire particulier, prescrit par le médecin, préconisant, excluant ou limitant certains aliments à titre hygiénique ou thérapeutique.

2. Abstention momentanée, plus ou moins complète, d'aliments, sur prescription médicale.

Aucune mention de perte de poids!

Les six principaux sites
de **BOURRELETS**

*Que révèlent les différentes zones de graisse à propos de votre corps?
Voici les causes principales de ces amas disgracieux. Au chapitre 2,
je traiterai du rôle des hormones sur le stockage de la graisse.*

DÉPÔTS ADIPEUX SUR LES HANCHES
OU POIGNÉES D'AMOUR ♀♂

Si vous avez trop de graisse juste au-dessus des hanches, on peut penser que
vous avez un problème d'**INSULINE** et que votre organisme a besoin d'aide
pour mieux gérer les sucres et les glucides.

Les glucides (ex.: le riz) sont décomposés par le système digestif sous forme
de glucose, un sucre simple qui circule dans le sang et procure à nos cellules
l'énergie dont elles ont besoin jour et nuit. En temps normal, l'insuline régule
la glycémie (concentration de glucose dans le sang) et détourne l'excès de
glucose dans le foie et les muscles, où il est emmagasiné sous forme de glycogène, une réserve glucidique pour nos futurs besoins énergétiques.

Une alimentation riche en sucre est souvent à l'origine de l'insulinorésistance, empêchant ainsi l'insuline de bien jouer son rôle. Le taux d'insuline
augmente tandis que le corps en produit de plus en plus pour tenter de contrer l'excès de glucose dans le sang. Ce taux élevé d'insuline fait en sorte que
la graisse va se stocker dans les cellules adipeuses. Une insulinorésistance
prolongée est potentiellement dangereuse et peut causer du diabète de type 2
et des ovaires polykystiques en plus d'être un risque pour la santé du cœur.

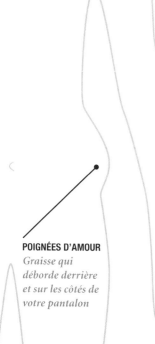

POIGNÉES D'AMOUR
*Graisse qui
déborde derrière
et sur les côtés de
votre pantalon*

LE SAVIEZ-VOUS?

Le sucre est très important dans notre alimentation
même si nous tentons de l'éviter. Nous consommons en
moyenne 160 g (30 c. à thé) de sucre par jour probablement parce que nous ignorons notre consommation de sucres cachés (ex.: jus d'orange, yogourts
sucrés, fèves au lard, etc.).

LA GRAISSE ABDOMINALE ♀♂

Si vous avez un excès de graisse abdominale, vous avez peut-être un problème de glandes surrénales et de production de **CORTISOL**.

Lorsque nous faisons face à une situation de stress, nos glandes surrénales sécrètent de l'adrénaline et du cortisol. L'adrénaline est responsable du réflexe de combat ou de fuite: la pression artérielle devient plus élevée et le sang est dirigé vers les muscles et le cerveau, ce qui nous permet de réagir plus rapidement. La respiration et le rythme cardiaque s'accélèrent. Le transport du glucose, des protéines et du gras est facilité afin que nous puissions gérer la crise efficacement et que nos muscles soient fin prêts au cas où nous devions fuir rapidement. Tout cela est normal, mais le stress à long terme est néfaste puisque le corps libère alors du cortisol. Un taux élevé de cortisol pendant une longue période peut accélérer le vieillissement et provoquer le stockage de la graisse dans l'abdomen, la perte de la masse musculaire et de la masse osseuse, les cardiopathies et même des dommages aux cellules cérébrales. La graisse abdominale est fortement associée aux maladies causées par l'obésité telles que la crise cardiaque et l'accident vasculaire cérébral.

À long terme, une glycémie élevée libère de grandes quantités d'insuline. Le surplus de glucose est alors emmagasiné sous forme de graisse. Le stress peut vraiment nuire à notre santé et causer un surplus de poids.

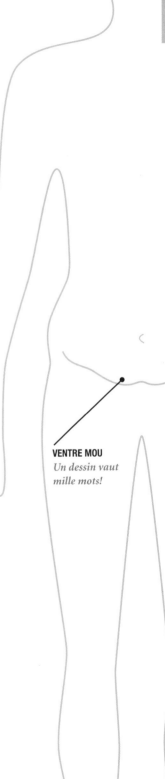

VENTRE MOU
Un dessin vaut mille mots!

LE SAVIEZ-VOUS?

On estime que chaque année des millions de personnes tombent malades à cause du stress lié à leur emploi, ce qui cause un nombre considérable de jours de travail perdus. Le travail étant une source de stress parmi tant d'autres, ce problème de société est très inquiétant.

La fatigue surrénale est un terme générique regroupant de nombreux symptômes: fatigue, irritabilité, étourdissements, faible libido, difficulté de concentration, manque de sommeil et problèmes digestifs. Les tests sanguins utilisés en médecine pour vérifier la fonction des glandes surrénales peuvent indiquer un résultat «normal» même celles-ci sont sous-performantes.

BOURRELETS SOUS LES OMOPLATES ♀

Si vous avez un excès de graisse qui déborde de votre soutien-gorge, votre thyroïde fonctionne peut-être au ralenti. Cette glande sécrète deux hormones, la **THYROXINE (T4)** et de la **TRIIODOTHYRONINE (T3)**, qui gouvernent le métabolisme, c'est-à-dire la vitesse à laquelle nous brûlons les calories provenant des aliments.

Certaines personnes peuvent s'empiffrer sans jamais prendre de poids. C'est un signe que leur thyroïde fonctionne très bien. Paradoxalement, il y a aussi des personnes qui ne se nourrissent pratiquement que de laitue sans jamais parvenir à maigrir. L'hypothyroïdie (thyroïde trop lente) gagne du terrain, mais elle est trop souvent mal diagnostiquée à cause de tests sanguins inadéquats. Cette condition est responsable des dépôts adipeux sous les omoplates en plus de causer fatigue, dépression, gain de poids, baisse de la température corporelle, constipation, troubles de la mémoire et mauvaise concentration. Répondez au questionnaire du chapitre 3 et faites le test de Barnes (p. 108) pour vérifier le fonctionnement de votre thyroïde.

BOURRELETS SOUS LES OMOPLATES

La graisse qui empêche de bien ajuster son soutien-gorge.

LE SAVIEZ-VOUS?

Une personne sur 50 aurait un problème de santé résultant du sous-fonctionnement de sa thyroïde. Une étude américaine publiée en 2010 par l'University of Exeter and the Peninsula Medical School a établi un lien entre les produits chimiques présents dans les poêles antiadhésives et les tissus imperméables et les problèmes d'hypothyroïdie. Une concentration élevée en acide perfluorooctanoïque (APFO) dans le sang doublerait l'incidence des maladies de la thyroïde. Ce produit synthétique stable est utilisé dans la fabrication de plusieurs produits (chasse-taches, produits nettoyants, casseroles et poêles antiadhésives, vêtements à l'épreuve de l'eau et du feu, tapis, sofas et rideaux, entre autres).

BRAS FLASQUES
*La graisse
qui pend
sous vos bras*

BRAS FLASQUES ♀

Si vous avez un excès de graisse dans vos triceps,
votre taux de **TESTOSTÉRONE** est peut-être trop faible. Cette
hormone puissante, produite par les deux sexes (les femmes en produisent
moins) entraîne l'apparition des caractères sexuels masculins (ex.: diminution de la masse graisseuse au profit de la masse musculaire).

Malheureusement, le taux de testostérone est moins élevé chez les hommes et
les femmes soumis à un stress prolongé et ceux qui ont une alimentation
pauvre en vitamines, en minéraux et en acides gras essentiels. Le stress fait
chuter le taux de testostérone lorsque l'organisme utilise la prégnènolone, un
précurseur naturel de l'ensemble des hormones, pour produire du cortisol, la
principale hormone du stress. Un taux élevé de cortisol fait chuter la quantité
de testostérone disponible. Chez les femmes, ce phénomène est souvent à l'origine d'une flaccidité des bras. J'ai vu des femmes actives très stressées perdre
plusieurs centimètres de graisse au niveau des bras grâce à mon programme
visant à stimuler en douceur la production d'androgènes (testostérone).

LE SAVIEZ-VOUS?

Une étude publiée en 2003 dans l'*European Journal of Endocrinology* a démontré que
les femmes post-ménopausées atteintes d'athérosclérose (accumulation de lipides
dans la paroi artérielle) avaient moins de testostérone que les femmes qui n'en avaient
pas. Des études ont aussi prouvé que les traitements visant à contrôler les symptômes de la ménopause (ex.: hormonothérapie substitutive, pilule contraceptive à
faible dose, etc.) pouvaient dépriver l'organisme de testostérone. Lorsqu'ils sont pris
par voie orale, ils sont assimilés par le foie, lequel produit une protéine qui se lie à la
testostérone, causant ainsi une carence.

LES DÉPÔTS ADIPEUX SUR LES CUISSES ET LES FESSES ♀

Si vous avez une accumulation excessive de gras dans vos fesses et vos cuisses, vous pourriez avoir un excès d'**ŒSTROGÈNE**.

Il s'agit de l'une des principales hormones féminines (même si les hommes en sécrètent aussi en quantité moindre) qui favorise naturellement le stockage de graisse dans les fesses et la partie supérieure des jambes. Bien distribuée, cette graisse est un signe de fertilité chez la femme. De nos jours, nous sommes exposés à la fois aux œstrogènes naturels et synthétiques qui abondent dans notre environnement. Certains produits chimiques d'usage courant (bouteilles de plastique, revêtements antiadhésifs, etc.) imitent l'action de l'œstrogène dans notre organisme. La pilule contraceptive à base d'œstrogène et l'hormonothérapie substitutive sont des sources additionnelle d'excès d'œstrogène pouvant jouer un rôle dans la création de ce type de dépôts adipeux. Vos cuisses se frottent-elles l'une contre l'autre lorsque vous marchez? Sachez qu'il n'est jamais trop tard pour passer en mode attaque.

LES DÉPÔTS ADIPEUX SUR LES CUISSES ET LES FESSES
Cet important dépôt adipeux rend l'exercice difficile.

LE SAVIEZ-VOUS?

La consommation de deux tasses de café par jour peut augmenter le taux d'œstrogène chez les femmes et, par le fait même, favoriser l'accumulation de graisse dans les fesses et les cuisses. Les femmes qui boivent chaque jour quatre ou cinq tasses de café ont près de 70 % plus d'œstrogène au cours de la première phase de leur cycle menstruel que celles qui n'en prennent qu'une seule.

SEINS PROTUBÉRANTS (CHEZ LES HOMMES) ♂

Si vous êtes un homme et avez un surplus de graisse au niveau de la poitrine, il est probable que vous ayez un taux de **TESTOSTÉRONE** moins élevé que la normale.

La testostérone entraîne l'apparition des caractères sexuels secondaires: muscles plus maigres et plus forts, voix grave, diminution de la masse graisseuse au profit de la masse musculaire. Malheureusement, avec l'âge, une partie de cette hormone est convertie en œstrogène, la principale hormone féminine responsable de l'accumulation graisseuse. Les hommes peuvent aussi produire de l'œstrogène dans leurs cellules adipeuses. En vieillissant et en prenant du poids, ils produisent davantage de cette hormone féminine tandis que leur taux de testostérone décroît naturellement.

Si votre surplus de graisse au niveau de la poitrine vous gêne, il est temps de faire des exercices qui stimuleront votre testostérone. En adoptant un régime alimentaire approprié et en consacrant du temps à votre condition physique, vous parviendrez à contrer ce problème.

LE SAVIEZ-VOUS?

Des scientifiques ont découvert que l'excitation provoquée en conduisant une voiture de course accentuait la production de testostérone. L'étude a été réalisée auprès de 39 jeunes hommes qui devaient conduire ce type de véhicule pendant une heure. Les tests de salive effectués à l'issue de cette expérience ont démontré que le taux de testostérone était encore plus élevé chez les jeunes volontaires ayant conduit sur une route parsemée de nombreuses admiratrices.

De même, il a été prouvé que les équipes sportives qui portent un maillot rouge ont un net avantage sur leurs adversaires puisque cette couleur stimule la production de testostérone.

SEINS PROTUBÉRANTS
Seins inesthétiques chez l'homme

Les **RÉCEPTEURS ADRÉNERGIQUES α2**

J'espère que mes explications précédentes vous ont permis de mieux comprendre comment les hormones pouvaient affecter le stockage de la graisse dans différentes parties du corps. J'aimerais maintenant vous parler d'un autre facteur qui cause des dépôts adipeux disgracieux au niveau de l'abdomen, des hanches, des fesses et des cuisses.

Les hormones ne sont pas les seules substances chimiques régulant notre poids. Les «récepteurs» en sont eux aussi responsables. On peut comparer les récepteurs à des verrous conçus pour être couplés à une clé (hormone); ils travaillent de concert pour provoquer des changements et certains processus dans l'organisme. Certains d'entre eux activent la libération des lipides lorsqu'ils sont activés par une hormone tandis que d'autres la freinent.

UN CERCLE VICIEUX

Certaines parties de notre corps possèdent un plus grand nombre de récepteurs freinant la libération des lipides que de récepteurs qui l'activent. Les récepteurs adrénergiques α2 ont un effet antilipolytique, c'est-à-dire qu'ils retardent la libération des lipides, ce qui n'est pas à notre avantage. Les dépôts adipeux persistants ont une densité plus élevée en récepteurs adrénergiques α2, ce qui rend la perte de graisse plus difficile dans ces zones spécifiques. Plus nous sommes gras et plus notre nombre de récepteurs adrénergiques α2 est élevé. Ce phénomène est responsable d'un véritable cercle vicieux.

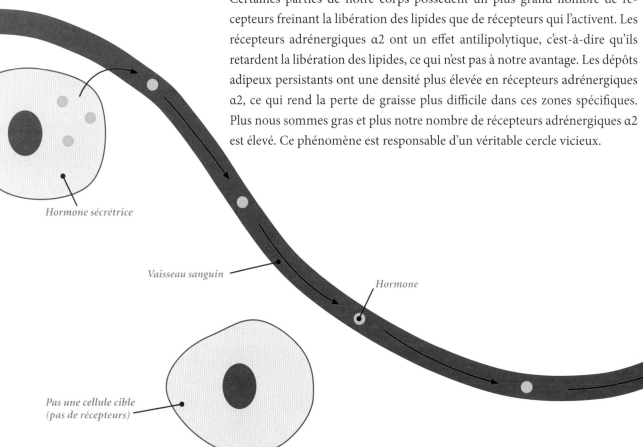

Hormone sécrétrice

Vaisseau sanguin

Hormone

*Pas une cellule cible
(pas de récepteurs)*

LA CIRCULATION VITALE

Touchez votre poitrine de chaque côté. Est-ce doux et chaud? Touchez maintenant vos fesses, vos hanches ou vos cuisses. Sont-elles froides comme la pierre? Cela indique que le sang ne circule pas très bien dans vos dépôts adipeux. C'est le courant sanguin qui transporte les hormones et les minéraux qui favorise la décomposition du gras. Il est important que le sang circule bien dans les dépôts graisseux afin qu'il puisse transporter le gras des cellules adipeuses dans une autre partie du corps, où il sera brûlé.

LA SOLUTION

Pour les dépôts adipeux affectés par un taux élevé de récepteurs α2, je recommande un programme d'exercice particulier visant à améliorer la circulation et, dans certains cas, des suppléments naturels aidant à brûler le gras. Si vos zones cibles sont l'**ABDOMEN,** les **HANCHES,** les **CUISSES** et les **FESSES,** adhérez à votre programme personnel avec la même intensité qu'un lion en chasse.

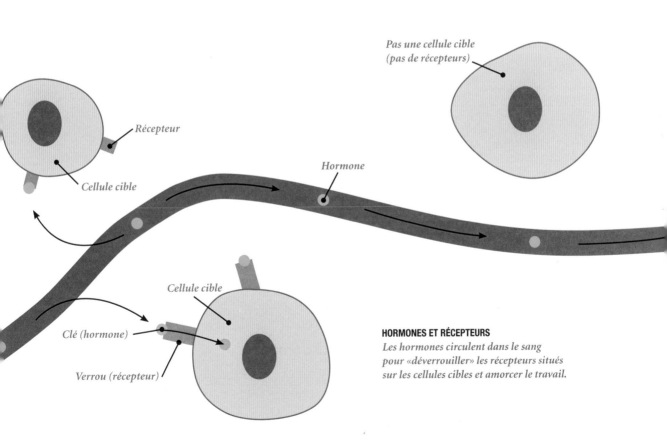

*Pas une cellule cible
(pas de récepteurs)*

Récepteur

Hormone

Cellule cible

Cellule cible

Clé (hormone)

Verrou (récepteur)

HORMONES ET RÉCEPTEURS
Les hormones circulent dans le sang pour «déverrouiller» les récepteurs situés sur les cellules cibles et amorcer le travail.

CHAPITRE 2

Cours intensif sur les hormones

Les hormones jouent un rôle crucial sur votre façon d'emmagasiner le gras et sur les zones où celui-ci a tendance à s'accumuler. De nombreuses études scientifiques démontrent ce fait. Il y a une vingtaine d'années, lorsque j'ai commencé ma pratique, ces études pointues étaient plutôt rares, mais la communauté scientifique commençait à s'y intéresser. Aujourd'hui, des expériences cliniques prouvent que le cortisol et l'insuline favorisent l'accumulation de graisse, tandis que la testostérone stimule la perte de graisse. Les études consacrées aux déséquilibres hormonaux démontrent clairement que les perturbations des taux d'hormones affectent directement la distribution du gras dans notre corps. Ce chapitre vous aidera à mieux comprendre et à identifier tout déséquilibre hormonal dont vous pourriez souffrir.

Que sont **LES HORMONES?**

Les hormones sont essentiellement des messagères chimiques produites et sécrétées par un ensemble de glandes et d'organes composant le système endocrinien. De concert avec le système nerveux, le système endocrinien contrôle et régule tous les processus internes de notre corps. Les hormones du système endocrinien influencent et gouvernent plusieurs réactions physiques et chimiques sensibles aux phénomènes se produisant à l'intérieur et à l'extérieur de notre organisme.

Chez les êtres humains, les principales glandes endocrines sont l'hypothalamus, l'hypophyse, la pinéale, la thyroïde, les parathyroïdes, les surrénales, les îlots de Langerhans (dans le pancréas), les ovaires et les testicules. Lorsque les hormones sont déversées dans le sang, elles accomplissent leur travail spécifique tel que maintenir la glycémie ou contrôler le cycle menstruel.

LE FONCTIONNEMENT DES HORMONES

Les hormones transportent des signaux vitaux d'une cellule à l'autre. La plupart se lient à un récepteur hormonal sur la paroi ou à l'intérieur de la cellule. Pour faire image, on parle alors de verrou (récepteur) et de clé (hormone), comme je l'ai expliqué à la p. 20. L'interaction entre l'hormone et le récepteur provoque à l'intérieur de la cellule des changements qui favorisent la vie, la croissance et la fonction immunitaire en plus de superviser les réponses à différents stimuli (ex.: température froide, exercice épuisant). Les hormones nous permettent donc de nous adapter, de changer et de nous ajuster à notre environnement intérieur et extérieur.

La sécrétion hormonale est régulée minutieusement par le système endocrinien afin qu'une quantité adéquate d'hormones soit déversée dans le sang dans le but d'accomplir une action spécifique. Toutefois, si

Vaisseau sanguin

Cellule

Hormones

ces quantités sont incorrectes, cela peut causer de sérieux dommages. Par exemple, l'hormone de croissance assure la maturation et la croissance des enfants. Une trop grande quantité peut donner naissance à un géant tandis qu'une quantité trop faible peut causer un retard de croissance. Certaines hormones ont une action de courte durée (ex.: l'insuline produite lors de la digestion). D'autres hormones sont produites en respectant un cycle (ex.: chez la femme, la progestérone aide à régulariser le cycle menstruel). Si vous tenez à jouir d'une bonne santé, à rester jeune, à maintenir un poids santé et une belle silhouette, il est important que votre équilibre hormonal fonctionne de façon optimale.

Prenez un moment pour lire ceci. Cette phrase résume bien le propos de cet ouvrage:

«Chez l'être humain, les hormones exercent une puissante influence sur la répartition de la graisse.»

Les hormones sont essentielles à la vie, à la santé et à l'équilibre de notre corps. Notre système endocrinien cherche en tout temps à nous garder vivant, équilibré et en bonne santé. Un déséquilibre hormonal peut toutefois provoquer un gain de poids dans les parties de notre corps aux prises avec des dépôts adipeux. Lisez la suite pour en apprendre davantage sur le sujet.

Vaisseau sanguin

SÉCRÉTION HORMONALE
Les hormones déversées dans le sang par le système endocrinien exercent une action spécifique sur différentes parties du corps.

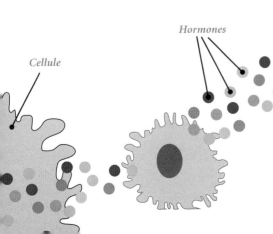

Hormones

Cellule

Cellule

25

L'INSULINE *affecte*
les poignées d'amour ♀♂

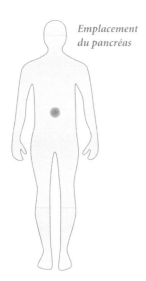

Emplacement
du pancréas

Produite par le pancréas, l'insuline régule le transport du glucose – source énergétique essentielle du corps et du cerveau – vers les cellules. Cette hormone puissante a le pouvoir de libérer suffisamment d'énergie dans chacune de nos cellules; sans elle, celles-ci mourraient.

LE RÔLE DE L'INSULINE

Grâce à la digestion, nos aliments sont convertis en glucose, un sucre simple. Les principales sources de glucose sont les glucides (pain, riz, pomme de terre, etc.). Le rôle de l'insuline est extrêmement important: c'est la seule hormone apte à transporter le glucose vers les cellules, où il est utilisé comme énergie. Tout surplus de glucose ne servant pas aux cellules est emmagasiné dans les cellules du foie sous forme de glycogène. Lorsque notre glycémie est basse (on devient irritable, on sue légèrement et on tremble), le pancréas sécrète du glucagon, une hormone qui présente des propriétés antagonistes de l'insuline: le glucagon libère le glycogène emmagasiné dans le foie afin d'élever la glycémie.

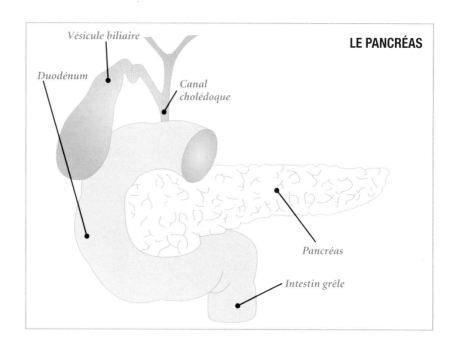

Vésicule biliaire

LE PANCRÉAS

Duodénum

Canal
cholédoque

Pancréas

Intestin grêle

EFFETS D'UN DÉSÉQUILIBRE DE L'INSULINE

En vieillissant, notre taux d'insuline augmente et cela peut créer des problèmes et des déséquilibres dans notre corps: dépôts adipeux sur les hanches, athérosclérose et accident vasculaire cérébral. Un taux d'insuline élevé nous fait grossir, accélère le processus de vieillissement et conduit à l'insulinorésistance. Ce problème survient lorsque la quantité normale d'insuline sécrétée par le pancréas est incapable de transporter efficacement le glucose sanguin vers les cellules. Le pancréas produit alors de plus en plus d'insuline en vain afin de fournir de l'énergie aux cellules. Si ce problème n'est pas traité plusieurs problèmes peuvent apparaître: taux anormal de lipides sanguins (cholestérol et triglycérides), hypertension, obésité concentrée dans le haut du corps, maladies du cœur, diabète de type 2.

PERDRE DU POIDS GRÂCE À UN TAUX D'INSULINE ÉQUILIBRÉ

Pour réduire vos dépôts adipeux sur les hanches, vous devez équilibrer et normaliser votre taux d'insuline et votre glycémie afin qu'ils ne soient ni trop bas ni trop hauts. J'ai inclus la cannelle dans la liste des suppléments (p. 90) suggérés puisqu'une étude récente publiée en mai 2010 dans *Journal of Diabetes* indique que cette épice peut être très bénéfique pour contrer l'insulinorésistance et favoriser la perte de poids.

LE SAVIEZ-VOUS?

L'adrénaline peut influencer notre glycémie. Sécrétée en réponse au stress, cette hormone stimule la conversion du glycogène emmagasiné, provoquant ainsi une libération rapide de glucose afin de répondre à la demande en énergie requise par le corps en situation de panique. Le pancréas doit donc, temporairement, sécréter suffisamment d'insuline pour faire face au surplus de glucose dans le sang.

Au cours d'une période de stress prolongée, la production de cortisol augmente et crée une élévation du glucose sanguin (l'adrénaline fournit une dose immédiate d'énergie sans influer vraiment sur la glycémie tandis que le cortisol l'élève suffisamment pour permettre au corps de faire face au stress). Le corps produit alors plus d'insuline afin de transporter le glucose vers les cellules. À long terme, un stress important fait en sorte que les taux de cortisol et d'insuline sont constamment élevés, menant éventuellement à l'insulinorésistance. C'est ainsi que le stress peut vous faire grossir et augmenter vos dépôts adipeux sur vos hanches.

LE CORTISOL *affecte l'abdomen* ♀♂

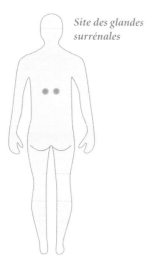

Site des glandes surrénales

Les glandes surrénales sont situées sur le sommet des reins. Elles produisent le cortisol et l'adrénaline, responsables de la gestion du stress. Sans adrénaline, nous serions incapables de faire face aux situations difficiles. Même si nous savons que la vie moderne nous impose beaucoup de stress, il est facile de négliger son impact, ce qui peut nous causer de sérieux problèmes de santé à long terme.

L'ADRÉNALINE ET LE CORTISOL

L'adrénaline nous procure une dose d'énergie immédiate permettant de fuir ou de combattre le danger. Nous ressentons alors des papillons dans l'estomac, des martèlements dans la poitrine, des palpitations et des sueurs froides. Ce sont là les premiers signes du stress. Notre rythme respiratoire et cardiaque s'accélère afin que nous puissions réagir et obtenir une réponse musculaire immédiate. Le sang se retire de la surface de la peau et la coagulation est plus rapide (en cas de blessure ou de saignement); le sang se retire du tube digestif afin de réduire la possibilité de vomissement.

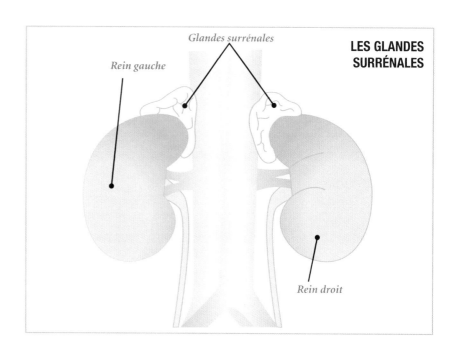

Glandes surrénales

Rein gauche

LES GLANDES SURRÉNALES

Rein droit

Le cortisol permet d'affronter le stress à long terme; il nous permet de demeurer alerte pendant une longue période. Comme l'adrénaline, il accélère le rythme cardiaque et la respiration et transporte du sang vers les muscles et le cerveau afin que nous puissions réagir rapidement. Il élève aussi la pression artérielle et la glycémie afin que nous réagissions à la crise de manière adéquate et que nos muscles nous permettent de courir rapidement. Ce phénomène est nuisible à long terme puisqu'il provoque le maintien d'une glycémie élevée. Un taux d'insuline élevé (p. 27) favorise le stockage de la graisse dans la région abdominale. Avec le temps, un haut taux de cortisol accélère le processus de vieillissement, est responsable de l'apparition de dépôts adipeux dans l'abdomen, de la perte de la masse osseuse et musculaire, de maladies du cœur et, parfois, de dommages aux cellules du cerveau.

QUE FAIRE EN CAS DE DÉSÉQUILIBRE?

Nous réagissons au stress par l'action: réaction d'alarme, production d'énergie, réaction en cas d'urgence. L'adrénaline nous permet de réagir rapidement et adéquatement en cas de danger soudain. Toutefois, le stress moderne est omniprésent. Face au stress prolongé, notre corps entre dans la «phase de résistance», gouvernée par le cortisol. Nous nous préparons ainsi à faire face à une longue période de combat et de fuite. Les choses peuvent alors empirer: nous éprouvons des niveaux irréguliers d'énergie, une glycémie élevée, une augmentation du cholestérol et un manque de sommeil. La phase finale est appelée «phase d'épuisement». Parmi les symptômes: lever trop tôt, rétention d'eau, peau sèche, sueurs nocturnes et épuisement important. Entre-temps, la région abdominale emmagasine les dépôts adipeux et l'humeur est plutôt mauvaise.

RÉTABLIR LE DÉSÉQUILIBRE POUR PERDRE DU POIDS

Les suppléments peuvent aider à normaliser le taux de cortisol afin de stabiliser notre glycémie et de réduire notre graisse abdominale. Par exemple, selon une étude publiée en 1983 dans l'*International Journal of Vitamin and Nutrition Research,* l'acide panthoténique (B_5) joue un rôle thérapeutique important sur les surrénales.

LE SAVIEZ-VOUS?

La déhydroépiandrostérone (DHA) est l'hormone sécrétée le plus abondamment. Elle atteint son sommet lorsque nous avons environ 22 ans, puis décline avec l'âge. Un taux de DHA amélioré favorise la perte de poids, principalement chez les hommes. Pour se défaire de la graisse abdominale, il est donc recommandé de maximiser la fonction surrénale.

LES HORMONES T4 ET T3 *affectent*
les bourrelets sous les omoplates ♀

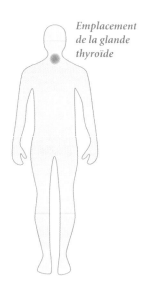

Emplacement de la glande thyroïde

La glande thyroïde est située dans le cou. Elle contrôle la vitesse à laquelle notre corps brûle les calories et utilise l'énergie ainsi que l'ensemble des transformations chimiques dans l'organisme (métabolisme) en sécrétant de la thyroxine (T4) et de la triiodothyronine (T3). L'hyperthyroïdie survient lorsque la thyroïde produit trop d'hormones. On observe alors une perte de poids et une nervosité comme si on avait bu 20 cafés dans une seule matinée. Si la production hormonale est trop faible, on parle alors d'hypothyroïdie. Les personnes atteintes brûlent moins de calories et prennent facilement du poids.

LE RÔLE DES HORMONES THYROÏDIENNES

La production de T4 survient lorsque la thyroïde est stimulée par la thyrotrophine (TSH), produite par l'hypophyse. Une grande partie de la T4 est liée à des protéines de transport et demeure inactive. Une partie demeure toutefois libre (non liée) et est convertie en T3 dans le foie et les reins. Comme la T4, la plus grande partie de la T3 est liée à des protéines de transport du sang et demeure inactive tandis que le reste est converti en T3 active.

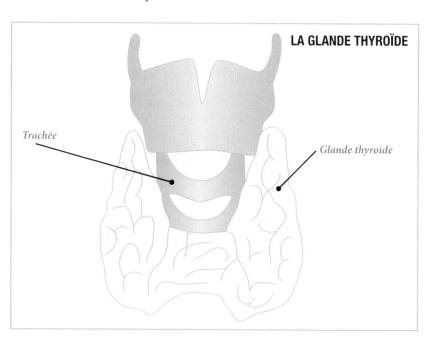

LA GLANDE THYROÏDE

Trachée

Glande thyroïde

QUE SE PASSE-T-IL EN CAS DE DÉSÉQUILIBRE?

Les principaux signes du ralentissement de la fonction thyroïdienne sont la fatigue, la faiblesse musculaire, la peau sèche et l'incapacité de tolérer le froid. Les personnes atteintes présentent généralement l'un des tableaux suivants:

★ L'hypophyse ne produit pas une quantité suffisante de thyrotrophine (TSH), ce qui empêche la thyroïde de produire assez de thyroxine (T4).

★ La thyroxine (T4) n'est pas convertie efficacement en triiodothyronine (T3).

Plusieurs de mes clients ont un problème auto-immun faisant en sorte qu'ils produisent des anticorps thyroïdiens qui attaquent leur propre glande thyroïde. Malheureusement, ces problèmes ne sont pas toujours diagnostiqués puisque le test médical de routine ne relève pas nécessairement ce genre de dysfonctionnement.

Il est frustrant de savoir que la médecine traditionnelle ne remarque pas toujours les problèmes de thyroïde ou de taux d'hormone thyroïdienne chez ceux qui ont les symptômes classiques de l'hypothyroïdie. Mon test de médecine fonctionnelle (p. 10) permet heureusement d'observer de près les changements mineurs des hormones thyroïdiennes et de réagir rapidement. Les questionnaires du chapitre 3 et le test de Barnes (p. 108) vous aideront aussi à détecter un éventuel problème thyroïdien.

RÉTABLIR LE DÉSÉQUILIBRE POUR PERDRE DU POIDS

C'est la forme de T3 non liée qui élève le taux métabolique, la production de chaleur et la consommation calorique. La T3 stimule aussi l'assimilation des graisses et aide à contrôler le cortisol et l'insuline, qui encouragent le stockage du gras. Le gugulon (*Commiphora mukul*) fait partie des suppléments que je recommande pour le gras localisé sous les omoplates puisqu'il a été démontré qu'il soutenait efficacement la fonction thyroïdienne, principalement en accroissant la conversion de T4 en T3 dans le foie (p. 157).

LE SAVIEZ-VOUS?

On estime que 10 % de la population occidentale souffre d'une forme d'hypothyroïdie et qu'un bébé sur 4000 naît avec un problème d'hypothyroïdie. Aussi, 10 % des femmes ont une forme de problème d'hormones thyroïdienne.

De plus, on observe que durant une période de stress prolongée, la production de cortisol augmente, ce qui provoque un déclin de la production de TSH et peut mener à un déséquilibre thyroïdien.

LA TESTOSTÉRONE *affecte*
la graisse sur les bras ♀

La testostérone n'est pas exclusivement une hormone mâle. Les femmes en produisent en plus petite quantité dans leurs glandes surrénales et leurs ovaires. (En moyenne, les hommes en produisent de 4 à 10 mg par jour, soit environ vingt fois plus que les femmes.) Les femmes dans la quarantaine ont environ deux fois moins de testostérone qu'à l'âge de vingt ans.

LE RÔLE DE LA TESTOSTÉRONE

Chez la femme, le rôle exact de la testostérone est encore incertain, mais les scientifiques croient qu'elle aiderait à préserver la force des muscles et des os en plus d'être essentielle au cerveau et à la libido. Je crois que l'accumulation de graisse dans la région des bras est due à un faible taux de cette hormone puisque les hommes présentent rarement ce type de dépôt adipeux. Chez les hommes, plus le taux de testostérone est élevé, plus les triceps sont maigres.

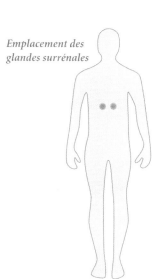

Emplacement des glandes surrénales

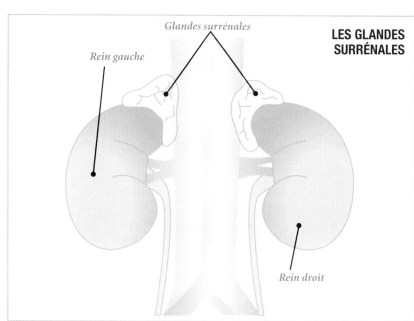

Glandes surrénales

LES GLANDES SURRÉNALES

Rein gauche

Rein droit

QUE SE PASSE-T-IL EN CAS DE DÉSÉQUILIBRE?

Après la ménopause ou une hystérectomie, la production de testostérone peut décliner de façon importante amenant des symptômes comme la fatigue ou une faible libido, et il peut devenir très difficile de perdre du poids. L'hormonothérapie substitutive, prescrite pour prévenir les symptômes de la ménopause, peut exacerber le déséquilibre hormonal chez certaines femmes en périménopause. Je suggère à toutes les femmes ménopausées de subir un test hormonal complet – incluant une évaluation du taux de testostérone, d'œstrogène et de progestérone – afin de déterminer précisément quelles sont les hormones dont le taux est trop faible avant d'opter pour une quelconque thérapie. Chaque femme est unique.

LA TESTOSTÉRONE ET LA PERTE DE POIDS

Chez la femme, le fait de régulariser ou d'élever le taux de testostérone permet de corriger la silhouette des bras. Cela améliore également la densité osseuse, l'acuité mentale et la libido. Le programme réservé à ce type de graisse localisée (chapitre 5) aide aussi à stimuler la production de testostérone.

LE SAVIEZ-VOUS?

Chez la femme, les symptômes d'un faible taux de testostérone sont: fatigue, perte de tonus et de masse musculaire, gain de poids, dépression, augmentation du risque d'ostéoporose, d'usure des os, et du risque de maladie cardiovasculaire, sécheresse vaginale, perte d'intérêt pour l'activité sexuelle, relations sexuelles douloureuses, arrêt soudain des règles, chaleurs, anorgasmie (incapacité d'avoir des orgasmes).

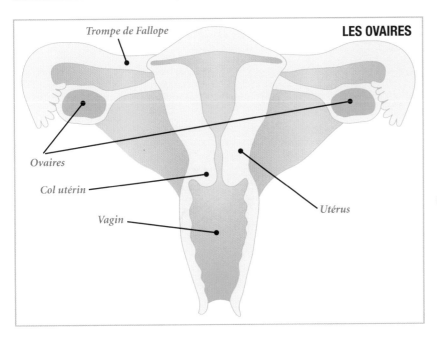

LES OVAIRES

Trompe de Fallope

Ovaires

Col utérin

Vagin

Utérus

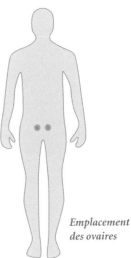

Emplacement des ovaires

L'ŒSTROGÈNE *affecte*
les cuisses et les fesses ♀

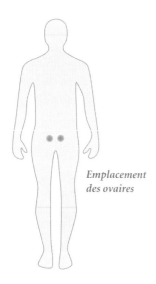

*Emplacement
des ovaires*

Les principales hormones féminines sont l'œstrogène et la progestérone. Les hommes produisent aussi de l'œstrogène, mais en quantité moindre. Chez les femmes, l'œstrogène et la progestérone travaillent de concert pour nourrir et réguler les fonctions des organes sexuels et des seins. Ces hormones préparent aussi le corps à la grossesse et permettent de la mener à terme. L'œstrogène est produit principalement par les ovaires, mais aussi, en quantité moindre, par les seins, les surrénales et le gras corporel. La progestérone est sécrétée par les ovaires au cours des deux dernières semaines du cycle menstruel (après l'ovulation).

LE RÔLE DE L'ŒSTROGÈNE

Elle est largement responsable des caractéristiques féminines, dont le développement des seins et de l'utérus. Elle stimule la maturation du follicule et joue un rôle prédominant dans la fertilité et la grossesse. L'œstrogène réduit la masse musculaire et assure la préservation du calcium osseux. Hélas, elle contribue aussi à la formation de dépôts adipeux dans les cuisses et les fesses.

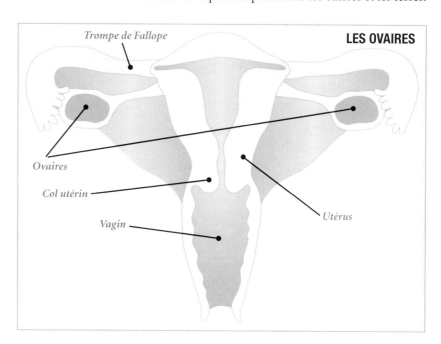

Trompe de Fallope

LES OVAIRES

Ovaires

Col utérin

Vagin

Utérus

QUE SE PASSE-T-IL EN CAS DE DÉSÉQUILIBRE?

Un surplus d'œstrogène favorise le stockage de la graisse dans les fesses et la partie supérieure des jambes, ce qui crée une silhouette en forme de poire. Un déséquilibre entre les taux d'œstrogène et de progestérone peut être associé aux symptômes du syndrome prémenstruel (SPM) chez les jeunes femmes et de la ménopause chez les plus âgées. La plupart des problèmes menstruels seraient causés par un surplus d'œstrogène.

Le taux d'œstrogène décline à l'approche de la ménopause. Lorsque l'ovulation cesse, la production de progestérone s'arrête aussi; c'est la périménopause. Toutefois, la production d'œstrogène peut continuer. L'hormonothérapie substitutive, prescrite pour prévenir les symptômes de la ménopause, remplace souvent ces deux hormones. Chez les femmes en périménopause, cela peut exacerber le déséquilibre du taux d'œstrogène et créer d'autres symptômes désagréables. Avant d'opter pour l'hormonothérapie substitutive, les femmes devraient d'abord passer un test afin de déterminer avec précision quelles hormones sont présentes en quantité insuffisante dans leur corps.

L'ŒSTROGÈNE ET LA PERTE DE POIDS

Le surplus d'œstrogène contribue au stockage de la graisse dans la partie inférieure du corps. Le gattilier (*Vitex agnus castus*) peut aider à corriger ce déséquilibre en rétablissant l'harmonie entre l'œstrogène et la progestérone, ce qui facilitera la réduction des dépôts adipeux dans les fesses et les cuisses.

LA TESTOSTÉRONE
affecte les seins ♂

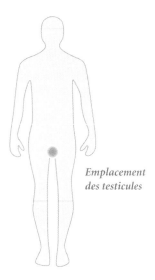

Emplacement des testicules

Qu'évoque le mot «testostérone» pour vous? Les machos? Le mâle dominant agressif et impatient? La violence? Le rôle de la testostérone dans certains mauvais comportements n'est qu'une facette de la réalité. Cette hormone joue un rôle majeur étonnant sur notre état de santé.

LE RÔLE DE LA TESTOSTÉRONE

Chez l'homme, la testostérone est produite dans les testicules. Elle est responsable de la virilisation: voix grave, pousse des poils, gros muscles, gras corporel peu élevé, libido et désir sexuel, production de sperme et calvitie.

QUE SE PASSE-T-IL EN CAS DE DÉSÉQUILIBRE?

Vers l'âge de 50 ans, le taux de testostérone peut chuter de 50 %. Autre ombre au tableau, cette diminution de testostérone peut être accompagnée d'une augmentation du taux d'œstrogène: l'abdomen devient plus gras et les cellules adipeuses situées dans cette région produisent de l'œstrogène. (Les

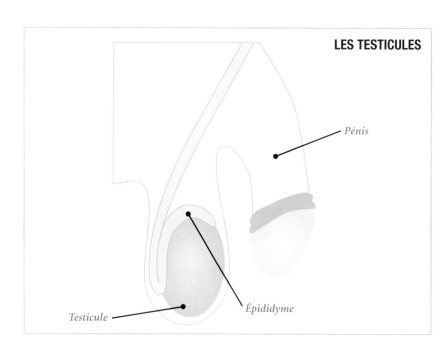

LES TESTICULES

Pénis

Épididyme

Testicule

jeunes hommes développent des seins protubérants uniquement s'ils souffrent d'embonpoint puisque leurs cellules adipeuses produisent alors de l'œstrogène.)

Cette diminution de la testostérone survenant avec l'âge est souvent qualifiée d'andropause. Les symptômes incluent une perte de libido, la dépression, la fatigue et le grossissement des seins.

Le stress joue aussi un rôle néfaste sur le corps masculin puisque les surrénales produisent des niveaux élevés de cortisol en réponse aux facteurs de stress, ce qui influe sur le taux de testostérone.

LA TESTOSTÉRONE AIDE-T-ELLE À PERDRE DU POIDS?

La normalisation ou l'augmentation du taux de testostérone aide à développer et à renforcer les muscles. Elle permet aussi d'accroître la densité osseuse, l'acuité mentale et la libido. Suivez les conseils du chapitre 5 à propos du régime, des exercices et des suppléments afin de restorer votre taux de testostérone.

LE SAVIEZ-VOUS?

Selon des études du Department of Family and Preventive Medicine de l'Université de Californie à Los Angeles, un faible taux de testostérone pourrait augmenter le risque de mortalité à long terme chez les hommes âgés de 50 ans et plus. Ceux qui ont un faible taux de testostérone ont un plus grand tour de taille et des facteurs liés au risque de diabète et de maladie du cœur spécifiques à ce type de dépôt adipeux. Ils sont aussi trois fois plus à risque de souffrir du syndrome métabolique (similaire à l'insulinorésistance) que ceux qui ont un taux de testostérone plus élevé.

LE SAVIEZ-VOUS?

Selon David Frederick, chercheur à l'Université de Californie à Los Angeles, les jeunes hommes musclés sont suceptibles d'avoir plus de partenaires sexuelles que les hommes moins en forme. Son étude publiée en 2007 dans le *Personality and Social Psychology Bulletin* suggère que les femmes sont davantage attirées par un corps viril et bien musclé que par le revenu élevé ou les promesses d'engagement.

CHAPITRE 3

L'analyse des bourrelets

Je vous propose trois tests qui vous permettront de déterminer rapidement si vous avez un véritable bourrelet et à quel point il est urgent de vous y attaquer. Quoi qu'il advienne, ne vous découragez pas. Ces tests vous aideront aussi à cibler les parties de votre corps méritant le plus votre attention. Répondez honnêtement aux questions puisqu'elles ne visent ni à vous punir ni à vous culpabiliser. Restez calme et faites les tests avec une belle ouverture d'esprit. Le temps du changement est arrivé, mais vous devez d'abord accepter de faire face à la réalité!

Comment identifier les **BOURRELETS**

Il est important de bien préparer votre programme et d'avoir une bonne compréhension de la réalité. En clinique, je propose à mes clients des tests de laboratoire courants (p. 10) en plus d'établir leur profil visuel et historique. Dans ce livre, je remplace ces tests par une méthode en trois étapes qui vous invite à faire une analyse objective de votre corps.

1 Regardez-vous longuement et attentivement dans le miroir afin d'identifier le ou les dépôts adipeux les plus évidents.

2 Faites un simple test du pincement pour confirmer si la ou les zones identifiées renferment effectivement un surplus de graisse.

3 Répondez enfin à un questionnaire pour chacun des dépôts adipeux dont il est question dans ce livre.

UN CORPS NORMAL

Il est bon de voir à quoi ressemble un corps mince et en bonne santé. Le corps idéal n'existe pas, mais prenez le temps d'observer les proportions équilibrées des silhouettes féminine et masculine illustrées à la page suivante. Elles ne présentent aucune accumulation évidente de graisse ou de liquide. La femme et l'homme ont un torse mince et leurs côtes sont légèrement recouvertes d'une couche de graisse isolante. Leurs fesses (non visibles sur les illustrations) sont fermes et en forme de cœur. Leurs cuisses ne sont pas collées l'une contre l'autre et leurs bras sont minces et bien galbés.

Regardez-bien l'image de votre propre corps. Est-il très différent de celui que vous voyez ici?

Soyez le plus honnête possible. À quel point votre corps est-il différent du corps normal et en bonne santé de la femme ou de l'homme illustré ici? Si votre apparence vous déplaît, toute émotion négative vous empêchera de passer à l'action. Acceptez le fait que le temps a fait son oeuvre au fil des années et concentrez-vous plutôt sur votre détermination à corriger la situation. Le moment est venu de prendre soin de vous et de redonner à votre corps des proportions qui vous plairont davantage.

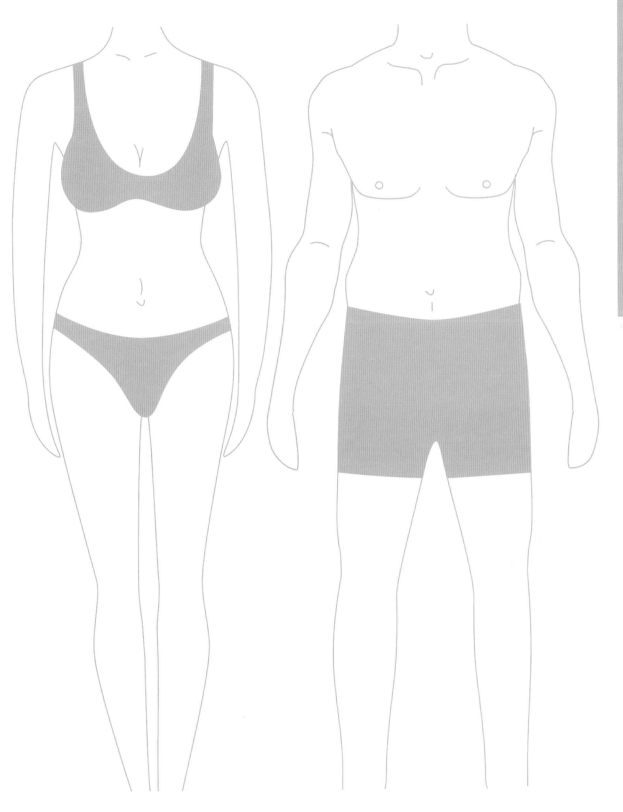

1er **TEST** Évaluez votre corps visuellement

Vous connaissez déjà sans doute les zones de votre corps méritant une attention particulière. Placez-vous debout devant le miroir et regardez-vous attentivement en faisant preuve d'un bon sens critique, mais aussi d'une bonne dose d'amour.

1 Avant de commencer, munissez-vous d'un miroir de plain-pied, d'un miroir à main, d'un crayon et d'une caméra. Cette étape est cruciale pour évaluer votre corps objectivement et adopter les solutions requises.

2 Placez-vous devant le miroir en portant uniquement vos sous-vêtements. Il est temps de décider quelles sont les parties de votre corps auxquelles vous devriez d'abord vous attarder. Tenez le petit miroir et approchez votre dos du miroir de plain-pied pour voir le reflet de vos fesses et de votre dos.

3 À la suite de cette évaluation visuelle, donnez une note de 1 à 5 aux différentes parties de votre corps: dépôts adipeux sur les hanches, graisse abdominale, bourrelets sous les omoplate (femmes seulement), bras flasques (femmes seulement), dépôts adipeux sur les cuisses et les fesses (femmes seulement) et seins protubérants (hommes seulement).

1 signifie parfait: svelte et impeccable
5 signifie «Oh! Mon Dieu!»
EST-CE ASSEZ CLAIR?

CONSEILS PRATIQUES

✔ Tenez toujours compte du contexte. Par exemple, si vous avez un abdomen énorme et lui avez donné une note de 5, bravo pour l'honnêteté. Mais si vous avez aussi accordé un 5 à vos cuisses à peine trop grosses parce que vous n'aimez pas leur apparence, cela faussera l'ensemble des résultats.

✔ Ne vous critiquez pas. Soyez simplement honnête et objectif. Pourquoi ne pas demander à un proche en qui vous avez confiance de vous aider à faire votre évaluation?

✔ **LA PARTIE DE VOTRE CORPS À LAQUELLE VOUS AVEZ DONNÉ LA NOTE DE 1 VOUS SERVIRA DE POINT DE RÉFÉRENCE.** Quelle partie de votre corps est assez mince pour mériter la note de 1? Chaque personne aime une zone de son corps en particulier. Pincez-la et tapotez-la du bout des doigts pour sentir la graisse emmagasinée sous la peau. Il s'agit peut-être d'une partie grasse et molle, mais ça ne fait rien. Ce sera la référence à partir de laquelle vous évaluerez vos autres dépôts adipeux. «Je donne un 1 à mes biceps, donc mes fesses méritent un …» Si le haut de vos bras n'est pas un bon exemple, cherchez ailleurs! Quelle note accordez-vous à vos mollets ou à votre taille?

Prenez votre crayon et commencez à vous évaluer. Notez les résultats au fur et à mesure dans chacun des rectangles appropriés prévus dans les pages suivantes.

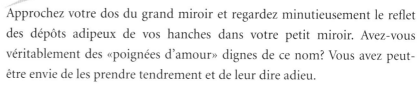

NOTEZ LES POIGNÉES D'AMOUR

Approchez votre dos du grand miroir et regardez minutieusement le reflet des dépôts adipeux de vos hanches dans votre petit miroir. Avez-vous véritablement des «poignées d'amour» dignes de ce nom? Vous avez peut-être envie de les prendre tendrement et de leur dire adieu.

Comparez les dépôts adipeux de vos hanches avec votre point de référence (vos biceps, par exemple) et notez-les de 1 à 5.

«Si j'ai donné une note de 1 à mon point de référence, je dois donner … à mes poignées d'amour.»

♂ [   ]   ♀ [   ]

NOTEZ LA GRAISSE ABDOMINALE

Faites face au grand miroir et tournez-vous sur le côté. Relaxez complètement les muscles de votre abdomen et les épaules sans courber le dos. Regardez la forme de votre abdomen de profil.

Ne trichez pas puisqu'il est important de faire face à la réalité.

Évaluez votre abdomen de 1 à 5: 1 = merveilleux, 3 = un dépôt adipeux notable et 5 = terrible.

«Si j'ai donné une note de 1 à mon point de référence, je dois donner … à ma graisse abdominale.»

♂ [   ]   ♀ [   ]

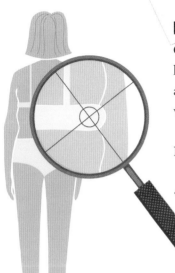

NOTEZ LES BOURRELETS SOUS LES OMOPLATES

Ce test s'adresse uniquement aux femmes. Faites face au grand miroir et levez les bras en les éloignant légèrement de votre corps. Analysez le dessous de vos aisselles. Votre soutien-gorge colle-t-il bien à votre paroi thoracique ou notez-vous des dépôts adipeux qui tentent de s'en échapper de chaque côté?

Notez ce dépôt adipeux de 1 à 5.

«Si j'ai donné une note de 1 à mon point de référence, je dois donner … aux bourrelets que j'ai sous les aisselles.»

♀

NOTEZ LES BRAS FLASQUES

Faites face au grand miroir et levez les bras de chaque côté en formant un angle droit avec votre corps. Regardez le haut de vos bras. Voyez-vous beaucoup de graisse pendre sous les mucles de vos triceps? Secouez un peu vos bras pour vous assurer qu'il s'agit bien de graisse et non de muscles (ceux-ci ne bougent pas).

Notez vos bras de 1 à 5. Prenez-le temps d'y penser. Évaluez cette zone en la comparant au reste de votre corps.

«Si j'ai donné une note de 1 à mon point de référence, je dois donner … au dépôt adipeux que j'ai sous les bras.»

♀

NOTEZ LES CUISSES ET LES FESSES

Passons maintenant aux cuisses. Tenez-vous devant le miroir et observez si vos cuisses frottent l'une contre l'autre. Sentez-vous de l'irritation?

Avant de les noter, tournez-vous, prenez le petit miroir et regardez vos fesses. Aimez-vous ce que vous voyez? Sinon, vous devrez vous en occuper en même temps que vos cuisses.

Évaluez vos cuisses et vos fesses de 1 à 5. Si vos cuisses et vos fesses sont petites mais pleines de cellulite, il faut être objectif – vous ne faites pas ce test pour noter votre cellulite. Ne jugez que le gras qui recouvre ces parties de votre corps: 1 = merveilleux tandis que 5 = il n'y a pas de quoi pavoiser.

«Si j'ai donné une note de 1 à mon point de référence, je dois donner … à mes cuisses et à mes fesses.»

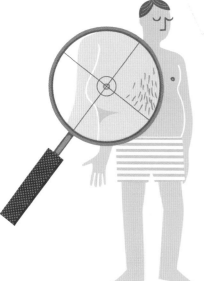

NOTEZ LES SEINS PROTUBÉRANTS

Mesdames, reposez-vous. Messieurs, faites face au miroir de plain-pied. Relaxez complètement vos épaules sans courber le dos et regardez-vous de profil.

Besoin d'un soutien-gorge d'entraînement? Soyez honnête et notez le gras que vous voyez sur et autour de vos seins. Notez aussi votre abdomen pendant que vous y êtes.

«Si j'ai donné une note de 1 à mon point de référence, je dois donner … à mes seins.»

2ᵉ TEST Pincement des plis cutanés

Il suffit d'un simple pincement cutané pour tester les principales zones de dépôts adipeux. Les illustrations indiquent clairement comment procéder. Inscrivez chacun des résultats sur le tableau suivant afin d'avoir une bonne vue d'ensemble de la situation.

Armez-vous d'une règle ou d'un mètre à ruban ainsi que d'une bonne dose de patience. Pour vous habituer, prenez les mesures de vos biceps à quelques reprises.

PARTIE DU CORPS	RÉSULTAT VISUEL	TEST DU PINCEMENT CUTANÉ
Poignées d'amour		
Graisse abdominale		
Bourrelets sous les omoplates		
Bras flasques		
Dépôts adipeux sur les cuisses et les fesses		
Seins protubérants		

BICEPS

Mettez un bras le long du corps et détendez-le complètement. Avec le pouce et l'index de l'autre main, pincez verticalement le pli cutané situé à mi-chemin entre le coude et l'épaule, soit directement sur le biceps (la partie avant de votre bras). Saisissez le pli cutané et la couche de graisse sous-cutanée entre le pouce et l'index.

Prenez votre temps. Sentez le gras sous la peau. Pincez uniquement la peau et le gras, et non les muscles. Notez la mesure sur un bout de papier. Demandez à une autre personne de prendre la même mesure sans lui faire part de votre résultat. Si vos résultats sont très différents, recommencez jusqu'à ce que vous maîtrisiez bien la technique. Faites ce test pour tous vos principaux bourrelets et notez les résultats.

HANCHES/TAILLE

Demandez à une personne de confiance de prendre cette mesure si vous avez de la difficulté à toucher votre dos avec la main.

Pincez horizontalement le pli cutané situé directement au-dessus des reins, c'est-à-dire à environ 5 cm (2 po) de chaque côté de la colonne vertébrale. Placez d'abord vos doigts sur la partie supérieure de la hanche, puis faites-les avancer vers le milieu du dos afin de sentir la colonne vertébrale. Voyez s'il y a une accumulation graisseuse d'un côté ou de l'autre de celle-ci. Avec le pouce et l'index droits, soulevez le pli cutané au-dessus du rein. Allez-y doucement afin de ne pas vous faire mal. Avec la main gauche – ou demandez à un proche de vous aider –, mesurez la longueur de la peau et du gras en les éloignant de votre corps.

ABDOMEN

Tenez-vous droit, gardez les épaules vers l'arrière et relaxez les muscles de l'abdomen. Avec le pouce et l'index, pincez verticalement le pli cutané situé environ 2,5 cm (1 po) à droite du nombril. Pincez autant le gras que la peau (surtout si la peau est flasque à la suite d'une grossesse).

Si vous souffrez d'obésité abdominale, il vous sera peut-être difficile de prendre cette mesure. Faites de votre mieux afin d'avoir le résultat le plus juste possible.

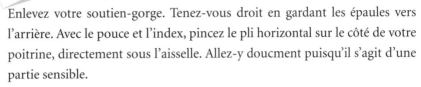

AISSELLES/OMOPLATES

Enlevez votre soutien-gorge. Tenez-vous droit en gardant les épaules vers l'arrière. Avec le pouce et l'index, pincez le pli horizontal sur le côté de votre poitrine, directement sous l'aisselle. Allez-y doucment puisqu'il s'agit d'une partie sensible.

Pour revérifier votre mesure, faites le même test de l'autre côté. Les deux mesures devraient être identiques. Si ce n'est pas le cas, reprenez la mesure de ce côté. Notez le résultat final dans l'encadré suivant.

♀

BRAS

Levez un bras à angle droit et détendez ses muscles. Avec le pouce et l'index du côté opposé, pincez verticalement le pli cutané se trouvant à mi-chemin entre l'épaule et le coude. Détendez votre bras, puis prenez la mesure.

Si vous voulez revérifier, faites le même test de l'autre côté.

♀

CUISSES ET FESSES

Le test du pincement est un peu plus compliqué puisque vous devez prendre deux mesures différentes et calculer la moyenne.

1ʳᵉ MESURE Détendez les fesses et tournez légèrement le haut du corps. Avec le pouce et l'index, pincez la zone limite située entre le haut de la jambe et la fesse. Mesurez le pli cutané et notez le résultat.

2ᵉ MESURE Toujours en position debout, détendez la cuisse et pincez un pli vertical à mi-chemin entre la rotule et la cuisse. Mesurez le pli cutané et notez le résultat.

Additionnez les deux mesures et divisez-le résultat en deux.

♀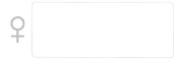

SEINS PROTUBÉRANTS (HOMMES)

Avec le pouce et l'index, pincez diagonalement le pli de gras et de peau situé à mi-chemin entre l'aisselle et le mamelon.

Si vous voulez vérifier la mesure, faites la même chose de l'autre côté.

♂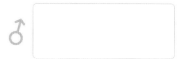

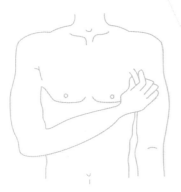

3

l'analyse des bourrelets

3ᵉ **TEST** Remplissez les questionnaires

Vous avez maintenant une bonne idée des zones dont vous avez à vous occuper. Ce questionnaire confirmera en quelque sorte les résultats de vos premières évaluations. Les réponses préciseront en effet ce que vous avez observé et mesuré.

Encerclez le **O** (oui) ou le **N** (non) pour chacune des questions.
OUI signifie que le problème est évident et nuit à votre mode de vie ainsi qu'à votre sentiment de bien-être.
NON signifie que le problème survient de temps à autre ou rarement.

Si vous avez du mal à répondre à une question, revenez-y plus tard. Si vous hésitez toujours, n'y répondez pas. Lorsque vous aurez rempli tous les questionnaires, comptez le nombre de «oui» obtenu pour chacun (il est inutile de compter le nombre de «non»).

HANCHES/TAILLE

1. Avez-vous de la difficulté avec votre poids même si vous surveillez votre alimentation? **O / N**

2. Avez-vous subi beaucoup de stress au cours de la dernière année ou pendant de longues périodes? **O / N**

3. Avez-vous une mauvaise mémoire ou du mal à vous concentrer et vous sentez-vous «confus» après avoir mangé? **O / N**

4. Vous sentez-vous souvent fatigué ou léthargique, même après une bonne nuit de sommeil? **O / N**

5. Votre pression artérielle est-elle élevée (plus de 130/85 ou 13/8,5)? **O / N**

6. Avez-vous des taux de cholestérol élevés? **O / N**

7. Vous sentez-vous fatigué après un repas contenant au moins 30 % de glucides? **O / N**

8. Vous sentez-vous souvent nerveux, agité et de mauvaise humeur? **O / N**

9. Vos ovaires sont-ils polykystiques? **O / N**

10. Avez-vous des acrochordons (petites lésions cutanées mineures pouvant siéger sur n'importe quelle partie du corps)? **O / N**

Nombre de **OUI** _____

GRAISSE ABDOMINALE

1. Vous réveillez-vous souvent entre 2 h et 4 h du matin? **O / N**

2. Avez-vous un sommeil agité? **O / N**

3. Transpirez-vous en dormant? **O / N**

4. Faites-vous de l'hypotension artérielle? **O / N**

5. Tremblez-vous et êtes-vous irritable lorsque vous avez faim? **O / N**

6. Vous mettez-vous en colère rapidement? **O / N**

7. Avez-vous vécu de longues périodes de stress élevé? **O / N**

8. Travaillez-vous trop en ayant peu de temps pour vous détendre
   et vous relaxer? **O / N**

9. Faites-vous de la rétention et avez-vous l'air bouffi? **O / N**

10. Souffrez-vous d'indigestion et de flatulences? **O / N**

Nombre de **OUI** _____

BOURRELETS SOUS LES OMOPLATES

1. Le matin, votre température axillaire est-elle inférieure
   à 35,8 °C (96,4 °F) huit fois sur 10? (Voir p. 108) **O / N**

2. Êtes-vous excessivement fatigué et avez besoin de beaucoup
   de sommeil? **O / N**

3. Souffrez-vous de constipation? **O / N**

4. Êtes-vous plus sensible au froid que vos proches? **O / N**

5. Avez-vous de la difficulté à perdre du poids? **O / N**

6. Votre peau devient-elle sèche, épaisse et froide? **O / N**

7. Vos règles sont-elles plus longues et plus abondantes? **O / N**

8. Vos cheveux commencent-ils à s'amincir et à devenir secs et drus? **O / N**

9. Vos ongles sont-ils cassants et se fendent-ils facilement? **O / N**

10. Vos mouvements, pensées et paroles sont-ils plutôt lents? **O / N**

Nombre de **OUI** _____

BRAS FLASQUES

1. Votre impression de bien-être a-t-elle diminué?   O / N
2. Vous-sentez vous déprimé et non motivé?   O / N
3. Souffrez-vous de fatigue persistante et inexpliquée?   O / N
4. Votre libido est-elle faible et éprouvez-vous peu de désir et
   de plaisir sexuel?   O / N
5. Souffrez-vous d'ostéoporose?   O / N
6. Avez-vous remarqué un affaiblissement de votre force musculaire? O / N
7. Avez-vous noté des changements dans votre abilité à penser et
   à vous remémorer les événements?   O / N
8. Souffrez-vous de troubles du sommeil?   O / N
9. Avez-vous noté des changements dans la forme de votre corps,
   particulièrement au niveau des bras et de l'abdomen?   O / N
10. Êtes-vous ménopausée et avez-vous du mal à perdre du poids?   O / N

Nombre de **OUI** _____

BOURRELETS AUX CUISSES ET AUX FESSES

1. Utilisez-vous la pilule contraceptive combinée ou le lévonorgestrel
   comme moyen contraceptif?   O / N
2. Souffrez-vous de douleurs prémenstruelles accompagnées de
   tension nerveuse, de pleurs soudains, d'anxiété, de sautes
   d'humeur ou d'irritabilité?   O / N
3. Vos règles commencent-elles subitement avec de gros caillots?   O / N
4. Vos seins sont-ils sensibles ou fibrocystiques?   O / N
5. Souffrez-vous de sécheresse vaginale?   O / N
6. Souffrez-vous de crampes menstruelles?   O / N
7. Avez-vous des problèmes de fertilité ou de fausse-couche?   O / N
8. Souffrez-vous de fatigue ou de dépression?   O / N
9. Avez-vous une faible libido?   O / N
10. Souffrez-vous de maux de tête réguliers ou cycliques?   O / N

Nombre de **OUI** _____

SEINS PROTUBÉRANTS (HOMMES)

1. Souffrez-vous de chaleurs et de rougeurs de la peau? **O / N**
2. Votre libido est-elle faible? **O / N**
3. Avez-vous une dysfonction érectile? **O / N**
4. Souffrez-vous d'une irritabilité accrue? **O / N**
5. Vous sentez-vous généralement fatigué ou avez-vous perdu votre dynamisme? **O / N**
6. Avez-vous une masse et une force musculaires réduites? **O / N**
7. Avez-vous du mal à vous concentrer? **O / N**
8. Avez-vous de l'ostéoporose ou une masse osseuse affaiblie? **O / N**
9. Faites-vous peu ou pas d'exercice, surtout avec des haltères? **O / N**
10. Prenez-vous du poids même si vous surveillez votre alimentation? **O / N**

Nombre de **OUI** _____

PARTIE DU CORPS	SCORE	PARTIE DU CORPS	SCORE
Hanches/ taille		Bras	
Abdomen		Cuisses et fesses	
Sous les omoplates		Seins protubérants	

Maintenant, CALCULONS

Bravo, vous avez bien travaillé. Inscrivez vos résultats sur le tableau final suivant, additionnez-les et évaluez-les.

Cet exemple (à droite) du tableau final, illustre la façon dont les résultats des 3 différents tests devraient s'additionner.

PARTIE DU CORPS	ABDOMEN
Test visuel	5
Test du pincement	3 cm
Questionnaire	6 oui
TOTAL	14

PARTIE DU CORPS	HANCHES/ TAILLE	ABDOMEN	OMOPLATES	BRAS	CUISSES ET FESSES	SEINS
Test visuel						
Test du pincement						
Questionnaire						
TOTAL						

TABLEAU FINAL

Si vous avez un dépôt adipeux important dont le score est plus élevé, commencez par faire la cure de détoxication générale, puis poursuivez avec le programme spécifique à votre cas (voir chapitre 5). Si vous avez plusieurs dépôts adipeux notables, consacrez-vous d'abord au problème correspondant à votre score le plus élevé.

UNE IMAGE
VAUT MILLE MOTS

Avant de vous rhabiller, prenez une photo de vous en sous-vêtements. Assurez-vous que l'on puisse bien voir votre dépôt adipeux. Montrez tout, s'il vous plaît.

Personne d'autre ne verra cette photo. Regardez-la chaque fois que vous aurez envie de laisser tomber votre régime de six semaines ou que vous serez tenté de manger du chocolat ou un dessert. Servez-vous-en pour vous motiver et garder votre but en tête.

Regardez attentivement votre photo. En êtes-vous fier? Ça suffit, vous connaissez la réponse.

Passez maintenant à l'action!

Mon bourrelet

CROIRE À UN RÉSULTAT POSITIF

Maintenant que vous avez déterminé où se trouvait votre principal dépôt adipeux, vous devez passer à l'action.

Pensez aux raisons qui vous motivent. Évitez de toujours répéter la même chose. Soyez honnête. Vous devez absolument répondre à cette question. Si vous savez vraiment pourquoi vous voulez entreprendre ce régime, tout sera ensuite plus facile. Vous atteindrez le succès si votre but est sincère.

Vous perdrez du poids et aurez une nouvelle silhouette. Cessez de penser négativement. Ne craignez pas de faire des erreurs au moment d'entreprendre votre régime et vos exercices. Plus vous croirez à votre réussite, plus vos résultats seront satisfaisants. N'écoutez pas ce que les autres disent. Ce livre contient tous les outils et toutes les réponses dont vous avez besoin. Soyez responsable de votre vie, de votre poids, de votre apparence et de vos décisions. Ayez foi en vous. Vous réussirez à condition d'être passionné et animé par le désir d'atteindre votre but. Concentrez-vous sur les chapitres suivants et respectez votre programme sans faillir. Vous pouvez commencer à maigrir **DÈS MAINTENANT.**

Soyez persévérant et discipliné. Acceptez de changer votre attitude, votre mode de vie et vos croyances. Croyez au succès. Mes clients qui ont échoué agissaient comme s'ils n'avaient ni pouvoir ni contrôle sur leur poids. Ils oubliaient aussi de se fixer des buts clairs et réalistes et renonçaient dès le premier obstacle. Malheureusement, ce genre d'attitude est souvent la cause de déceptions amères.

« Je sais que plusieurs personnes sont déçues par les régimes. Cette fois, je veux que vous réussissiez à éliminer vos bourrelets. Je vous promets que vous ne serez pas déçu. »

CONSEILS POUR RÉUSSIR

★ Fixez-vous des buts clairs et réalistes. Soyez responsable de toutes les exigences de votre régime.

★ Faites les exercices et prenez les suppléments proposés au chapitre 5. Soyez fidèle à votre programme à 100 % au cours des six prochaines semaines.

★ Changez votre manière de voir les choses. Considérez que les obstacles sont une opportunité pour apprendre à faire une chose mieux ou différemment. Demandez l'aide de vos amis et de votre famille si vous faites face à une difficulté.

★ Célébrez votre perte de poids ou votre changement de silhouette en vous récompensant autrement qu'en mangeant. Allez au cinéma, par exemple.

★ Gardez en mémoire les bienfaits que ce programme pourrait avoir sur votre santé: diminution de la pression artérielle, du cholestérol et des risque de diabète, de cancer du côlon ou de cancer du sein; amélioration de la santé cardiaque et de la libido; meilleures nuits de sommeil, réduction de la douleur, etc.

★ Le plus important est de ne jamais oublier que si vous suivez votre régime sans compromis ni excuses:

✔ vous régénérerez votre corps

✔ vous maximiserez votre santé

✔ vous élèverez vos niveaux d'énergie

✔ vous aurez un corps mieux proportionné

CHAPITRE 4

À l'attaque!

On a écrit tellement de choses insensées au sujet des programmes de détoxication qu'il y a de quoi être confus. J'ai lu récemment dans un magazine qu'un week-end de détoxication au sirop d'érable «vous permettra de vous libérer de vos toxines et de vous sentir énergisé». Des âneries! Pour faire une détoxication efficace procurant des bienfaits réels pour la santé, il faut se préparer correctement. Ce chapitre n'est pas facultatif; il s'agit de la première étape qui vous mènera vers une perte de poids. Lisez-le pour apprendre comment amener progressivement vos tissus et certaines parties de votre corps à se débarrasser des toxines accumulées au cours des années.

Le but de la **DÉTOXICATION**

L'étape préliminaire de votre programme consiste à détoxifier votre organisme. En médecine naturelle, la détoxication est à la base de nombreux traitements efficaces. C'est la meilleure façon pour vous préparer à entreprendre votre programme de six semaines.

Je recommande une durée minimale de sept jours afin que l'on puisse éliminer partiellement ou en grande partie les toxines emmagasinées avec le temps.

DE QUOI S'AGIT-IL?

Nous assimilons plusieurs des toxines contenues dans les colorants, les aromatisants, les pesticides, les agents de conservation, etc. Nous respirons aussi beaucoup d'air pollué. Il est essentiel d'éliminer ces poisons de notre corps.

Le foie, les selles, la peau, les poumons et les reins (urine) permettent d'excréter ces produits nocifs. Le système nerveux assure leur élimination puisqu'il gouverne tous ces organes. Mais en période de stress, l'organisme devient inapte à une élimination pleinement adéquate des toxines. Avec le temps, leur accumulation nous prédispose à la maladie. Plus nous accumulons de toxines, plus nous avons besoin de graisse pour les emmagasiner. Résultat : gain de poids, rétention et épaississement de la silhouette. On se sent moins bien… et le cercle vicieux est ainsi créé.

LA SOLUTION

Nous pouvons tous être en grande forme, mais il faut d'abord être déterminé à changer. La détoxication est une étape cruciale fondée sur les principes naturopathiques. Il faut cesser de consommer des aliments et des boissons pollués et favoriser plutôt ceux qui permettent la détoxication. Achetez des aliments biologiques de préférence. Cette cure simple vous réénergisera afin que vous soyez fin prêt à entreprendre votre programme de six semaines. Je vous apprendrai ensuite à retrouver et à maintenir votre silhouette.

Les règles de la cure de **DÉTOXICATION**

Il s'agit d'une cure de détoxication simple. Je ne ferai pas la liste de tout ce que vous pouvez ou ne pouvez pas manger ou boire. Concentrons-nous plutôt sur ce qui est permis et agréable. Ne mangez rien d'autre!

✔ Petit-déjeuner: œufs frais, fruits frais et gruau (porridge) d'avoine.

✔ Midi: salade mixte avec huile d'olive extra vierge, poisson frais grillé et asperges fraîches. Si vous êtes végétarien, ajoutez des légumineuses à la salade.

✔ Soir: petite salade verte avec huile d'olive extra vierge et jus de citron avec bol de soupe aux légumes maison aromatisée à l'ail et aux fines herbes.

✔ Buvez des tisanes chaudes (pas plus de huit tasses par jour).

✘ Résistez aux collations, sauf celles mentionnées à la p. 64.

✘ Évitez le sel et les aliments-camelote.

✔ Si vous avez faim, allez marcher ou buvez une tisane.

✔ Achetez une brosse pour la peau, un gant de crin ou une éponge végétale pour exfolier votre épiderme au moment de la douche. Cette étape essentielle à une bonne détoxication permet d'éliminer une partie des toxines.

✔ Reposez-vous le plus possible afin que votre système nerveux permette à vos organes d'éliminer les toxines à un rythme optimal.

✔ Votre peau a besoin de respirer pour éliminer les toxines. Prenez un peu de soleil si vous en avez la chance. Une exposition de 10 minutes par jour est excellente pour la santé du corps et de l'esprit.

ATTENTION: Si vous prenez des médicaments, demandez à votre médecin s'il vous permet de suivre une cure de détoxication santé pendant toute une semaine.

Cure détox:
bons gras, fruits et **légumes, poisson frais** et **grains entiers.**

À QUOI devez-vous vous attendre?

Vous ressentirez tout un éventail d'émotions et de changements physiques au cours de votre cure de détoxication. Après tout, votre corps est en mode nettoyage: il se débarrasse de tout ce qu'il a accumulé pendant de nombreuses années. Il peut être douloureux de laisser tomber ses mauvaises habitudes, mais n'oubliez pas que celles-ci vous empêchent d'être énergique et en bonne santé.

Vous aurez parfois faim.

Vous serez un peu fatigué et «planerez» parfois.

Vous serez parfois grincheux et irritable.

Vous vous apitoierez sur votre sort et aurez envie de chocolat.

Vous vous ennuierez, surtout si vous pensez beaucoup à la nourriture.

Vous penserez souvent à vos aliments réconfortants préférés.

Vous aurez peut-être mal à la tête pendant quelques jours et votre nez pourrait couler au moment où vos sinus se débarrasseront de leurs toxines.

1er JOUR – Vous êtes à la fois craintif et excité. Détendez-vous! Achetez les aliments de la liste de la page suivante, si ce n'est déjà fait.

2e JOUR – Vous vous sentirez déprimé et aurez mal à la tête à cause du sevrage en caféine.

3e JOUR – Vous pourriez dormir mieux. Vous aurez peut-être besoin de faire une sieste ou de dormir pendant la journée.

4e JOUR – Vous devriez vous sentir rafraîchi au réveil, mais reposez-vous aujourd'hui. Cette journée est cruciale. Concentrez-vous sur votre régime même si vous rêvez d'aliments réconfortants et avez envie de pleurer.

5e JOUR – Si vous avez envie de dévaliser le réfrigérateur, allez marcher. Votre langue sera surchargée et aurez moins bonne haleine. Brossez vos dents souvent et utilisez de la soie dentaire. Votre corps est officiellement en mode de détoxication!

6e JOUR – Demandez-vous si vous êtes vraiment en manque d'alcool, de chocolat et d'aliments du resto. Je parie que vous ne les regretterez pas.

7e JOUR – Votre régime se terminera à la fin de la journée et vous pourrez alors entreprendre l'élimination de vos dépôts graisseux. En avant!

4

à l'attaque!

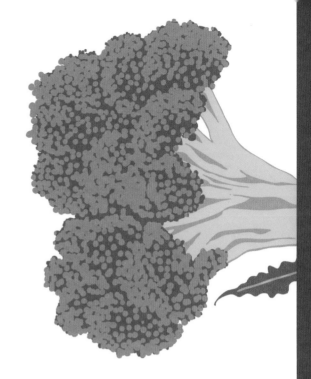

TRUCS

★ Vous devriez être capable de travailler tout en suivant votre régime, mais sachez que vous aurez faim. Vous pouvez organiser votre programme de façon que les jours 4 et 5 tombent un samedi et un dimanche.

★ Si vous trouvez difficile de prendre un gros repas le midi sur les lieux de votre travail, permutez vos repas du midi et du soir. Versez de la soupe dans un thermos et emportez aussi une salade (voir p. 66).

★ Reposez-vous et soyez serein. Oubliez les fêtes, l'heure de l'apéro, les réunions familiales et les sorties tard en soirée.

LES ALIMENTS À ACHETER:

LÉGUMES	FRUITS	SALADES	PROTÉINES
Ail	Abricots	Céleri	Œufs biologiques
Algues	Figues fraîches	Ciboulette	Poisson frais
Artichauts	Mangues	Concombre	Saumon fumé biologique
Asperges	Melon d'eau (pastèque)	Germe de haricot	Tempeh
Aubergines	Melon miel	Laitue	Tofu
Brocoli	Nectarines	Mange-tout	
Courge musquée	Oranges	Oignons	**LÉGUMINEUSES**
Carottes	Pamplemousse	Tomates	Doliques à œil noir
Champignons	Pêches		Haricots blancs
Chou-fleur	Pommes	**NOIX ET GRAINES**	Haricots pinto
Citrouille/potiron	Prunes	Amandes	Haricots verts
Courgettes	Raisins	Graines de citrouille	Haricots rouges
Haricots verts	Tangerines	Graines de tournesol	Pignons
Oignons	Tous les petits fruits	Noisettes	Pois chiches
Poivrons		Noix de Grenoble	
Tomates		Pacanes	

Suggestion de **MENU**

Voici un menu de détoxication qui n'a rien à voir avec un menu gastronomique élaboré. Il propose plutôt des aliments tout simples pouvant améliorer votre santé. Ne l'oubliez pas. Des centaines de mes clients l'ont suivi avec succès et je suis sûr que vous y parviendrez à votre tour.

N'oubliez pas de:

✔ Manger de plus petites portions.

✔ Boire un grand verre d'eau dès le réveil.

✔ Manger à table, servir les aliments dans une assiette et les déguster avec des ustensiles comme s'il s'agissait d'un grand repas. Bien mastiquer afin de mieux digérer.

✔ Manger deux fruits par jour entre les repas si vous avez faim – mais aucun autre goûter.

✔ Vous reposer si vous vous sentez faible.

✔ Manger des légumes crus ou un bol de soupe aux légumes si vous avez très faim entre les repas ou si vous avez moins d'énergie.

IDÉES POUR LE PETIT-DÉJEUNER

Choisissez une des suggestions suivantes:

1 Œuf(s) (bouillis, pochés, brouillés) avec légumes verts (ex.: épinards) cuits à la vapeur et morceaux de saumon fumé. Pas de beurre ni de crème pour la cuisson des œufs.

2 Salade de fruits de saison avec 5 ml (1 c. à thé) de pignons ou d'amandes crues.

3 Bouillie de céréales complètes (avoine, épeautre, millet, quinoa) trempées dans l'eau toute la nuit et cuites avec un peu de jus de pomme frais. Servir chaud avec quelques petits fruits frais.

4 (Jus détox)

Recette de jus détox

5 carottes	Bien laver et brosser tous les
4 branches de céleri	ingrédients, puis les hacher en
4 ou 5 feuilles d'épinards	petits morceaux au besoin avant
1/4 de chou	d'extraire le jus à l'aide d'une
3 brins d'aneth	centrifugeuse. Verser dans un
1 citron, pelé	verre et boire aussitôt.

IDÉES POUR LE REPAS DU MIDI

Ne prenez rien de compliqué le midi. Optez pour des aliments frais non traités faisant partie de la liste de la p. 63.

Votre repas devrait être divisé en trois portions:

1 LE TIERS devrait consister en une salade crue hachée finement contenant des légumes de trois différentes couleurs. Lavez bien la laitue et assaisonnez-la d'une vinaigrette composée de jus de citron et d'un peu d'huile d'olive extra vierge. Mastiquez bien afin d'éviter les flatulences dues à une digestion difficile.

2 LE DEUXIÈME TIERS devrait contenir des légumes vapeur légèrement croquants. (Si vous ne pouvez faire cuire de légumes, mangez plutôt une énorme salade incluant deux portions.)

3 Pour **LE DERNIER TIERS,** optez pour l'un des choix suivants:

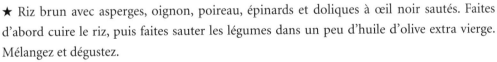

★ Soupe aux légumes. Ajoutez-y quelques légumineuses et des céréales complètes, mais les légumes doivent prédominer. Cherchez de bonnes recettes de soupes sans bouillon sur des sites web consacrés à la détoxication. Ne mettez ni sel, ni poivre, ni autre condiment.

★ Riz brun aux légumes à la purée de tomates. Faites cuire le riz à l'avance et gardez les légumes un peu croquants. Chauffez la purée de tomates, mélangez-la au riz et aux légumes et mangez aussitôt en ajoutant des piments et des fines herbes au goût.

★ Riz brun avec asperges, oignon, poireau, épinards et doliques à œil noir sautés. Faites d'abord cuire le riz, puis faites sauter les légumes dans un peu d'huile d'olive extra vierge. Mélangez et dégustez.

★ Poisson frais grillé ou saumon fumé.

★ Tofu ou tempeh grillé avec gousses d'ail et oignons non épluchés cuits au four.

★ Salade de légumineuses chaude avec légumes hachés et fines herbes.

NOTE Mangez de la salade (1) et des légumes (2) à volonté, mais soyez plus modéré pour la dernière portion (3).

4

à l'attaque!

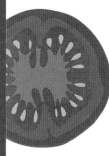

IDÉES POUR LE REPAS DU SOIR

1 Commencez votre repas par un petit bol de salade arrosée de jus de citron et d'huile d'olive extra vierge. Recommandés: avocats, tomates, basilic, mesclun, concombre râpé et courgettes crues.

2 Mangez un bol de soupe maison.

Prenez le temps de cuisiner des aliments frais. Cette cure de détoxication exige de la patience et de la bonne volonté.

Par exemple, pour faire une soupe, vous n'avez qu'à faire cuire vos légumes préférés et les passer ensuite au mélangeur ou au robot culinaire. Assaisonnez-la avec du piment ou vos fines herbes préférées. Réfrigérez le reste pour le lendemain et prenez-en un petit bol avant de vous mettre au lit afin de ne pas être affamé pendant la nuit.

Voici un exemple de recette gratuite extraite d'un site Web. Je l'ai trouvée en 30 secondes et j'ai pris environ 20 minutes pour la préparer. Je l'aime beaucoup parce qu'elle est crémeuse sans contenir de crème.

Soupe crémeuse

Soupe aux épinards

3 portions

2 c. à soupe d'huile d'olive pressée à froid	Dans une casserole, à feu moyen, chauffer l'huile et faire sauter les oignons quelques minutes. Ajouter l'ail, la carotte, le céleri et le poireau et faire revenir 2 minutes. Ajouter l'eau, le laurier et le thym. Porter à ébullition et laisser mijoter à feu doux environ 15 minutes, jusqu'à ce que les légumes soient tendres. Retirer du feu, puis jeter le laurier et le thym. Réduire en purée lisse, verser dans la casserole et ajouter les épinards. Cuire à feu moyen quelques minutes. Servir chaud et réserver le reste pour d'autres repas.
1 oignon moyen, en dés	
1 c. à thé (à café) d'ail, haché	
1 carotte moyenne, en dés	
1 branche de céleri, en dés	
1 poireau moyen, en dés	
1,4 litre (7 tasses) d'eau	
2 feuilles de laurier	
1 brin de thym	
1 kg (2 lb) d'épinards frais, hachés	

COMMENT S'EST PASSÉE VOTRE CURE DE DÉTOXICATION?

Une adhésion complète à 100 %? Vous méritez une étoile d'or. Vous avez tout ce qu'il faut pour atteindre le succès. **BRAVO!**

Vous avez triché un peu, mais rien d'inavouable? Alors poursuivez votre lecture sans vous faire sermonner.

Vous avez souvent triché? Je vous recommande de **RETOURNER AU DÉBUT DU CHAPITRE** et de reprendre à zéro. Ne vous laissez pas décourager.

FAITES LE POINT ET FIXEZ-VOUS UN BUT

Maintenant que vous avez terminé votre détoxication, fixez-vous un but pour les six prochaines semaines. Si vous sautez cette étape, vous risquez d'échouer. Un régime sans but n'a aucun sens. Faites preuve de patience, de diligence et d'un engagement total. Écrivez votre but sur un bout de papier que vous collerez sur votre réfrigérateur ou le miroir de la salle de bains. Lisez-le chaque jour afin de vous rappeler votre engagement chaque fois que vous serez obsédé par la nourriture.

PRÉPAREZ VOTRE ESPRIT, VOTRE FAMILLE ET VOS AMIS

Vous aurez besoin de soutien au cours des prochaines semaines. S'il était si facile de perdre du poids, vous ne seriez pas en train de lire cet ouvrage. Voici quelques règles d'or.

1re RÈGLE

Ignorez les conseils des personnes non-inspirantes. Si une personne grasse et fatiguée vous dit comment modifier votre régime ou votre mode de vie, donnez-lui plutôt un exemplaire de ce livre.

2e RÈGLE

Trouvez une personne en qui vous avez confiance et qui souhaite votre succès. Demandez-lui d'être votre soutien et votre conscience pendant toute la durée du programme.

CHAPITRE 5

Passez à l'action!

Le moment est venu de rassembler vos énergies et vos efforts pour vous débarrasser de vos dépôts adipeux.

Mon régime de base est le plus simple qui soit (je l'explique en détail dans les pages suivantes). Il n'a rien de particulier, mais il est efficace. Vous pouvez trouver de bonnes recettes dans les livres et sur le Web, mais respectez toujours les règles de base.

Pour chaque dépôt adipeux, je fais le résumé du régime approprié et vous renseigne sur les facteurs et les habitudes pouvant être en cause. Je vous suggère aussi une liste de suppléments végétaux et nutritifs qui viendront appuyer vos efforts. Ils sont efficaces et essentiels à votre succès.

L'exercice est aussi nécessaire. Vous pouvez lire à la p. 76 un texte consacré à l'importance de l'exercice dans le cadre de votre régime. À la fin de chacune des sections réservées aux différentes partie du corps, vous trouverez un programme d'exercice taillé sur mesure que vous devrez suivre pendant six semaines consécutives. Ces programmes de motivation n'étant ni difficiles ni contraignants, suivez-les avec enthousiasme et détermination!

Mon régime **MÉDITERRANÉEN**

Mon plan alimentaire est fondé sur les principes de l'alimentation méditerranéene puisqu'il a été démontré qu'il s'agissait de la meilleure façon de s'alimenter à long terme. Je vous invite à respecter ces principes pour tous les programmes inclus dans ce livre, sauf celui consacré aux seins (pour les hommes), et ce, même si chacun d'eux fournit également des conseils diététiques spécifiques à chaque cas.

Un article récent du *British Medical Journal* résume ce pour quoi je vous incite à adopter le régime méditerranéen:

«Des études scientifiques ont prouvé que le mode d'alimentation utilisé autour du bassin méditerranéen diminue les taux élevés de gras dans le sang (cholestérol et triglycérides), réduit l'insulinorésistance et élève les niveaux d'antioxydants protecteurs tel le lycopène, présent dans les tomates.»

PRINCIPES DE BASE DU RÉGIME MÉDITERRANÉEM

Légumes et fruits, légumineuses et haricots, céréales complètes et bons gras	50%
Poisson frais	25%
Œufs, volaille, fromage (chèvre, vache, brebis), noix et graines	15%
Viandes maigres	10%

Le tableau de gauche résume les grandes lignes du régime méditerranéen. Chaque jour, vous devriez consommer principalement des fruits et des légumes, inclure des céréales complètes et un peu de gras insaturés. Avant d'entreprendre leur programme, mes clients doivent tenir un journal alimentaire pendant sept jours en notant avec soin tout ce qu'ils mangent et boivent au cours de la journée. Je suis toujours étonné des résultats. Plus de 68 % d'entre eux mangent rarement des fruits frais, 38 % «n'aiment pas ou ne mangent pas de légumes» et 67 % de ceux qui ont moins de 40 ans mangent uniquement des pommes de terre et des petits pois comme légumes. Si mes clients oublient de manger l'une de leurs cinq portions quotidiennes de légumes, je les invite à en manger six le lendemain.

Le poisson frais doit aussi figurer fréquemment à votre menu. Mangez de la volaille et des produits laitiers de temps à autre et de la viande rouge plutôt rarement. Lisez mes **RÈGLES SIMPLES** (p. 72). Si possible, achetez des aliments biologiques afin d'éviter les produits chimiques.

Pour chacun des programmes, j'énumère les aliments particuliers qui sont permis et ceux qu'il est préférable d'éviter. Je vous donne aussi quelques idées pour planifier vos menus.

NOTE IMPORTANTE

La plupart des programmes proposés dans ce livre provoquent une période de détoxication qui vient s'ajouter à votre cure de détoxication d'une semaine (chapitre 4). Pendant quelques jours, vous pourriez avoir l'impression d'avoir la grippe, des douleurs, un mauvais sommeil, des maux de tête ou de la fatigue. Tout cela est normal: votre corps procède à un grand ménage. Persévérez et ne profitez pas de l'occasion pour renoncer au programme alimentaire.

Les sucres et les aliments traités suivants peuvent faire monter la glycémie et influencer négativement la réponse insulinique: lorsque le taux d'insuline est élevé, le corps transforme le glucose sanguin en énergie et emmagasine le surplus sous forme de graisse. De plus, un régime composé principalement d'aliments à indice glycémique élevé (p. 96-97) peut provoquer une envie irrésistible pour les glucides et stimuler l'appétit, donnant lieu ainsi à un gain de poids, de la fatigue et de la rétention d'eau. En induisant de grandes fluctuations de la glycémie et des taux d'insuline, ces aliments peuvent créer un cercle vicieux d'hyperphagie et de fatigue.

★ Sucreries
★ Sucres (tous)
★ Miel
★ Sucrose
★ Alcool
★ Biscuits et gâteaux
★ Pomme de terre blanche
★ Croustilles
★ Céréales sucrées
★ Goûters sucrés
★ Pain blanc
★ Pâtes blanches
★ Farine blanche
★ Riz blanc

RÈGLES SIMPLES

Ce régime méditerranéen est constitué de 15 règles importantes. Incluez ces changements dans votre régime le plus tôt possible. Aucune de ces règles n'est particulièrement exigeante, mais leurs bénéfices cumulatifs sont immenses.

1 NE MANGEZ PAS DE SUCRE

Le sucre élève la glycémie très rapidement. Le glucose sanguin est ensuite stocké sous forme de graisse indésirable. N'ajoutez jamais de sucre à vos boissons et aliments, et évitez les aliments sucrés. La liste est infinie: sucreries, confiseries, biscuits, gâteaux, crêpes, crème glacée, boissons, etc. Voir encadré de la p. 97.

2 FAITES PLACE AUX LÉGUMES

Mangez 5 portions de légumes par jour: cuits légèrement à la vapeur, rôtis, crus en salade ou même bouillis. Les légumes surgelés sont bons, mais les biologiques sont encore meilleurs. Une portion équivaut à environ une carotte moyenne ou une poignée de haricots verts.

3 MANGEZ BEAUCOUP DE FRUITS

Mangez au moins deux portions de fruits biologiques frais par jour, et ce, même en hiver. Riches en fibres et en minéraux, ils sont bons pour la santé. Choisissez-les bien frais puisqu'ils perdent leurs nutriments avec le temps. Voir encadré de la p. 73.

4 VIVE LES LÉGUMINEUSES!

Pois chiches, lentilles, haricots de soja, pois cassés, haricots noirs, rouges ou blancs sont de fabuleuses sources de fibres, de protéines et de minéraux qui devraient tenir un rôle de premier plan dans votre alimentation. Ajoutez-les à vos soupes et à vos salades et apprenez à bien les apprêter.

5 MANGEZ DU POISSON ET DES FRUITS DE MER

Les habitants du bassin méditerranéen mangent beaucoup de poisson. Les poissons gras (ex.: maquereau, truite de rivière, hareng, sardine, saumon et thon blanc) sont d'excellentes sources d'acides gras oméga-3 qui protègent le cœur, embellissent la peau et revigorent le corps. Ces poissons sont toutefois très pollués et certains sont contaminés par des taux élevés de mercure et, pire encore, de biphényles polychlorés (PCB). Mangez donc du poisson gras une fois par semaine (les plus petits, comme le maquereau et la sardine, sont préférables au thon) et du poisson blanc au moins deux fois par semaine

NOTE: Ajoutez des graines et de l'huile de lin dans vos plats afin d'augmenter votre consommation d'acides gras oméga-3 exempts de contaminants du milieu océanique. Les graines de lin ajoutent des fibres aux salades et aux muslis.

6 DÉCOUVREZ LES CÉRÉALES COMPLÈTES

Les céréales complètes sont excellentes pour la santé puisqu'elles ne sont pas déprivées de leurs fibres et de leurs vitamines. Achetez des pâtes et des pains complets et du riz brun. Apprenez à cuisiner le millet, le quinoa, le seigle, l'amarante et toutes les autres céréales.

7 BUVEZ AVEC MODÉRATION

Un verre de vin par jour peut avoir des bienfaits sur les plans physique et émotif. Si vous buvez davantage ou utilisez l'alcool pour vous détendre, il faudra cesser de boire ou respecter mes recommandations: mon régime permet aux femmes un petit verre de 148 ml (5 oz) par jour et aux hommes un verre moyen de 296 ml (9 oz).

8 MANGEZ PEU DE VIANDE

Réduisez considérablement votre consommation de viande rouge. Mangez plutôt du poulet ou de la dinde biologique (sans peau) deux fois par semaine. Si vous êtes incapable de vous priver de **VIANDE ROUGE,** prenez un morceau de viande maigre bio toutes les trois semaines. Les légumes verts feuillus combleront vos besoins en fer à cinq portions: épinards, bettes à carde, petits pois, persil, choux de Bruxelles, asperges, betteraves, etc.

9 BONS GRAS, MAUVAIS GRAS

Ce régime ne vise pas à éliminer le gras de votre alimentation, mais à vous permettre de faire des choix plus sensés. Évitez les aliments riches en gras saturés, surtout les fromages de lait de vache, le beurre et les viandes grasses, qui contiennent du gras d'origine animale et des huiles hydrogénées (margarine), réputés pour causer des problèmes cardiaques. Si un gras est blanc et dur à la température ambiante, il aura sans doute la même apparence une fois rendu dans nos artères. Mais une petite quantité de certains gras

---

QU'EST-CE QU'UNE PORTION?

★ Petit fruit:
1 portion = 2 petits fruits ou plus. Ex.: 2 prunes, 2 kiwis, 3 abricots, 6 litchis, 7 fraises, 14 cerises

★ Fruit moyen:
1 portion = 1 fruit.
Ex.: 1 pomme, 1 banane, 1 poire, 1 orange, 1 nectarine.

★ Gros fruit:
1 portion = ½ pamplemousse, 1 tranche de papaye ou de melon de 5 cm (2 po), 1 grosse tranche d'ananas, 2 tranches de mangue de 5 cm (2 po)

polyinsaturés et monoinsaturés est recommandée pour la santé. L'huile d'olive est un bon exemple de gras monoinsaturé et contient plusieurs antioxydants protecteurs. Mettez-en dans vos salades et vos légumes et achetez de l'huile bio de préférence.

10 MANGEZ PEU DE PRODUITS À BASE DE LAIT DE VACHE

Réduisez au maximum votre consommation de fromages de lait de vache, trop riches en gras et en calories. De temps à autre, optez plutôt pour du fromage de brebis ou de chèvre: feta, halloumi, cottage, mozzarella. Prenez aussi chaque jour une portion de yogourt nature non sucré riche en probiotiques. Le calcium contenu dans le yogourt à base de lait de vache, de chèvre ou de brebis facilite la digestion et renforce le système immunitaire.

11 DÉCOUVREZ LES HERBES ET LES ÉPICES

Les fines herbes et les épices permettent de réduire le sel dans les plats en plus de les parfumer. La plupart contiennent des antioxydants. Laissez-vous tenter par celles que vous n'avez encore jamais essayées: curcuma, gingembre, coriandre, basilic, thym, etc.

12 MANGEZ DES ŒUFS

Les œufs n'augmentent pas nos taux de cholestérol. Ils contiennent des protéines de qualité et peuvent être apprêtés de mille et une façons. Achetez des œufs biologiques de préférence.

13 APPRÉCIEZ LES NOIX ET LES GRAINES

Ayez toujours une provision d'amandes, de noix, de pistaches et de graines biologiques. N'en prenez que des quantités réduites ; elles sont riches en calories. Ajoutez quelques graines de sésame et de tournesol à vos salades.

14 CONTRÔLEZ VOS PORTIONS

Vous pouvez manger en abondance les aliments qui figurent dans le haut de l'illustration de la p. 70, mais surveillez vos portions pour les autres catégories et évitez d'en manger trop souvent.

15 NE MANGEZ PAS SEUL

La nourriture étant source de plaisir, évitez de manger seul et n'oubliez pas de bien mastiquer chaque bouchée.

LES SUPPLÉMENTS ALIMENTAIRES

Je crois que notre alimentation ne fournit pas tous les nutriments dont nous avons besoin. Le traitement industriel des aliments les prive de plusieurs nutriments essentiels. La pollution environnementale et notre style de vie augmentent nos besoins en nutriments aptes à nous protéger et à nous permettre de fonctionner efficacement.

En plus de suivre mon régime méditerranéen, prenez une multivitamine et un supplément de minéraux afin de régulariser votre fonction hormonale. Prenez aussi des capsules d'acides gras oméga-3 de qualité (voir encadré).

CONSEILS POUR L'ACHAT

Achetez des suppléments alimentaires de qualité d'une marque reconnue. Le conseiller de votre magasin d'alimentation naturelle saura vous guider. Si vous achetez vos produits en ligne, assurez-vous de traiter avec un site réputé. Méfiez-vous des produits qui ne coûtent presque rien; ils sont sûrement de mauvaise qualité. À la fin de chaque section de ce chapitre, vous trouverez de plus amples renseignements sur les suppléments alimentaires et leurs bienfaits.

SUPPLÉMENTS

Assurez-vous que vos suppléments respectent les critères suivants:

★ Niveaux indétectables de mercure (métal lourd).

★ Niveaux indétectacles d'hydrocarbures aromatiques polycycliques (HAP).

★ Indice de peroxyde faible. Cette méthode détermine la quantité d'oxygène actif contenue dans une matière grasse. Plus l'indice est faible, meilleur est le gras. Une huile qui n'a pas été stabilisée par des ingrédients tels que les antioxydants peut rancir rapidement et devenir toxique.

5

passez à l'action!

Un mot à propos de l'**EXERCICE**

Les programmes d'exercice offerts dans ce chapitre ont été conçus pour améliorer la circulation dans les zones sujettes aux dépôts adipeux. Ils contribuent à transporter le gras hors des cellules et, dans certains cas, à réduire l'action des récepteurs α2. Lisez bien ce qui suit avant d'entreprendre votre programme d'exercice personnel.

La façon la plus efficace de perdre du poids est de combiner lors d'une même séance l'exercice cardiovasculaire et les mouvements de résistance. En alternant les exercices pour le bas et pour le haut du corps, votre cœur doit accélérer et par le fait même vous brûlerez davantage de gras. Respectez la séquence suivante chaque fois:

LE RÔLE DE L'EXERCICE

La façon la plus efficace de perdre du poids est de combiner lors d'une même séance l'exercice cardiovasculaire et les mouvements de résistance. En alternant les exercices pour le bas et pour le haut du corps, votre cœur doit accélérer et par le fait même vous brûlerez davantage de gras. Respectez la séquence suivante chaque fois:

★ Exercice cardio (échauffement)
★ Haut du corps (1er exercice)
★ Bas du corps (1er exercice)
★ Haut du corps (2e exercice)
★ Bas du corps (2e exercice)
★ Exercice cardio (pour certains programmes seulement)

Pour les mouvements de résistance, consultez la section qui s'adresse à votre cas. Ils ont été choisis spécialement pour solliciter les principaux muscles par le biais de grands mouvements afin de produire les meilleurs résultats.

Selon votre condition physique ou votre familiarité avec les mouvements, vous pouvez ajouter de la résistance en utilisant des haltères courts. Tous les exercices peuvent être faits à la maison, au gym ou à l'extérieur. Je propose des variantes et des idées pour chacun des programmes. En général, entraînez-vous avec vigueur, mais sans vous épuiser. Il est important que vous ayez l'énergie nécessaire pour faire votre routine complète. Des études ont démontré que le fait d'«échouer» sa routine sur une base régulière pouvait avoir un effet négatif sur la façon dont nos hormones «répondent» à notre séance d'exercice.

AUTRES ACTIVITÉS

En plus de faire les exercices prescrits, soyez actif tout au long de la journée: marche, danse, escalade, étirements, poids et haltères, etc. Faites aussi des activités que vous aimez beaucoup, à l'extérieur de préférence. En plus de vous régénérer, elles inciteront votre taux métabolique à fonctionner de manière optimale.

Si vous êtes très stressé, passez du temps dans un environnement calme pour méditer, faire des respirations profondes et vous relaxer. Essayez de prendre au moins huit heures de sommeil par nuit afin d'être énergisé tout au long de la journée.

LES EXERCICES DE RÉSISTANCE

Consultez la partie du livre consacrée aux exercices recommandés pour votre cas particulier.

ÉQUIPEMENT À LA MAISON et à l'extérieur: si vous n'avez pas d'haltères courts, utilisez des livres (ou un sac rempli de livres pour augmenter le poids), des bouteilles d'eau de différents formats, une bûche, etc.

ÉQUIPEMENT AU GYM ou avec votre propre équipement: haltères courts, haltères longs, plaques de poids, ballon lesté, barre posée dans un cadre de porte, bandes de résistance, appareil pour extension dorsale, rameur, vélo elliptique, etc.

SOULEVÉ DE TERRE

1 Debout, les pieds à la largeur des épaules, placez le ballon (ou tout autre objet choisi) au sol, entre vos pieds, parallèlement aux orteils.

2 Pliez les genoux jusqu'à ce que vos cuisses soient parallèles au sol et laissez pendre les bras entre les jambes. Saisissez le ballon et, en gardant le menton parallèle au sol en tout temps, sortez la poitrine.

3 Poussez sur vos pieds et redressez-vous en gardant toujours le dos droit. Baissez les mains vers le sol pour y déposer doucement le ballon. Répétez l'exercice. Expirez en vous redressant et inspirez en vous penchant.

SOULEVÉ DE TERRE AVEC HALTÈRES

Cet exercice est identique au précédent, mais on lui ajoute un mouvement des bras.

Prenez la position **2** de l'exercice précédent tout en soulevant les bras au-dessus de la tête au moment de vous redresser (en un mouvement en demi-cercle). Faites cet exercice en utilisant simplement le poids de votre corps ou en ajoutant une charge additionnelle (ballon lesté, haltères, etc.). Commencez d'abord avec une charge légère afin de profiter au maximum des bienfaits énergisants de cet exercice.

AMENER AU SOL

1 Prenez la charge choisie dans vos mains, tenez-vous droit en gardant les bras bien tendus au-dessus de la tête, les jambes légèrement plus écartées que la largeur des épaules. On peut aussi faire cet exercice avec une bande de résistance.

2 Pliez les coudes pour descendre la charge. Maintenez une bonne posture en gardant le menton élevé et les épaules vers l'arrière. Allongez la colonne vertébrale pendant le mouvement.

3 Reposez-vous un instant, puis reprenez la position de départ en baissant les épaules. Expirez en baissant la charge et inspirez en revenant doucement. Gardez le contrôle de la charge pendant toute la durée de l'exercice.

AUTRES CHOIX: Vous pouvez faire des tractions à une barre fixe en utilisant le poids de votre corps ou le faire en position assise, en prenant appui sur vos pieds pour vous lever.

FENTE

1 Avec ou sans charge dans les mains, tenez-vous debout, pieds collés l'un contre l'autre.

2 Avancez une jambe en veillant à ce que le tibia soit forme un angle de 90 degrés avec le sol. Le genou arrière touche presque le sol sans dépasser l'axe du talon.

3 Revenez à la position initiale et répétez avec l'autre jambe. Faites alterner les jambes chaque fois en gardant votre buste bien droit et votre poids bien centré. Les hanches et les épaules doivent être parallèles. Inspirez en avançant la jambe et expirez au moment de vous relever.

DÉVELOPPÉ COUCHÉ AVEC HALTÈRES

1 Allongez-vous sur le dos, de préférence sur des oreillers ou un banc de gymnastique (le torse doit être légèrement soulevé du sol afin de pouvoir baisser les coudes sans gêner le mouvement).

2 Tenez un haltère court dans chaque main. Tendez les bras vers le haut en écartant les mains à largeur un peu plus grande que les épaules.

3 Descendez les haltères en dirigeant les coudes vers les côtés tout en gardant les avant-bras vers le haut jusqu'à ce que les mains soient de chaque côté de la poitrine et des épaules.

4 Maintenez cette position un moment, puis tendez les bras vers le haut (position 2). Inspirez en descendant les haltères et expirez en les soulevant. Gardez toujours le bas du dos en contact avec le banc ou les oreillers.

NOTE : Vous pouvez aussi faire cet exercice sans haltères en utilisant simplement le poids de votre corps.

FLEXIONS SUR JAMBES

1 Debout, pieds écartés à largeur des épaules et poids distribué également sur chaque pied afin de se sentir bien ancré au sol, tenez les haltères courts (ou autre charge) à la hauteur des épaules.

2 Pliez les genoux et, en inspirant, poussez le fessier vers le bas et vers l'arrière en gardant le menton parallèle au sol.

3 Gardez le buste droit et, en expirant, poussez sur le sol avec les pieds pour revenir à la position debout.

FLEXIONS SUR JAMBES ET DÉVELOPPÉS

1 Faites les étapes **1 à 3** des **FLEXIONS SUR JAMBES,** mais gardez la charge au niveau de la poitrine. (Si vous avez deux haltères, gardez-les à la hauteur des épaules.)

2 En vous redressant, étendez les bras et poussez la charge vers le haut afin que tout le poids soit au-dessus de votre tête au moment de reprendre la position debout.

3 Ramenez la charge vers la poitrine ou les épaules tout en inspirant.

FLEXIONS SUR JAMBES ÉCARTÉES

1 Debout, pieds écartés à largeur plus grande que la poitrine et orteils tournés vers l'extérieur, tenez les haltères courts au niveau des épaules en distribuant bien votre poids sur chaque pied. Le menton doit être parallèle au sol et le torse bien droit.

2 Pliez les genoux et, en inspirant, descendez le plus possible comme pour vous asseoir dans une chaise.

3 Poussez sur vos pieds et, en expirant, revenez à la position debout.

RAMER

1 Mettez-vous debout, pieds écartées à la largeur des épaules. Utilisez une bande pour soutenir votre poids ou, si vous êtes au gym, placez-vous face à la barre et tenez-la à mi-hauteur de la poitrine en étendant presque complètement les bras.

2 Tirez le poids/votre corps vers la poitrine ou vers la barre en gardant toujours le dos droit. En expirant, poussez les épaules vers l'arrière et gardez les coudes à la hauteur des épaules en contractant le haut du dos.

3 Inspirez en retournant lentement à la position **1**.

POSTURE «CHIEN TÊTE EN BAS» À «COBRA»

1 À quatre pattes au sol, placez les genoux sous les hanches, les orteils repliés et les mains de chaque côté des épaules.

2 Poussez le bassin vers le haut et, en inspirant, redressez les jambes en gardant les pieds à la largeur des hanches. Poussez sur les talons et étendez les bras. Étirez la colonne vertébrale en poussant la poitrine vers les orteils. Maintenez cette position pour bien étirer tout le corps.

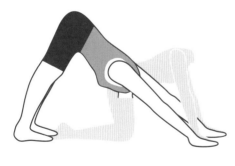

3 Passez ensuite de cette position de Chien tête en bas à celle du Cobra: en expirant, pliez les coudes et descendez le bassin vers le sol. Le dessus des pieds doit toucher le sol. Ouvrez la poitrine et penchez la tête vers l'arrière en maintenant la posture quelques secondes. Inspirez et revenez à la position **1**.

PECTORAUX PAPILLON

1 En position couchée, gardez les pieds à la largeur des épaules et tenez un haltère court dans chaque main. Étirez les bras au-dessus des épaules en gardant les paumes tournées l'une vers l'autre et les coudes légèrement pliés.

2 En inspirant, écartez les bras latéralement pour former un T avec le corps. Maintenez une bonne posture et la colonne vertébrale droite pendant toute la durée de l'exercice.

3 Revenez à la position **1,** en expirant et en gardant les bras alignés avec les coudes encore légèrement pliés.

ÉTIREMENTS DES BRAS

Après avoir terminé les trois étapes, faites la même chose de l'autre côté.

1 Fixez un câble ou le bout d'une bande résistante à la hauteur de la tête. Tenez le bout de la main droite. Étirez le bras droit, avancez avec la jambe gauche et pliez le genou. La jambe droite sera derrière vous, presque droite. Pliez le coude gauche afin que la main gauche vienne près de l'épaule gauche et tenez le coude élevé.

2 Expirez et tirez la bande vers l'épaule droite. Étirez le bras gauche tout en pliant la jambe droite et en tendant la jambe gauche en faisant alterner le poids du corps.

3 En inspirant, revenez à la position **1** en maîtrisant bien le mouvement.

Les poignées d'**AMOUR**

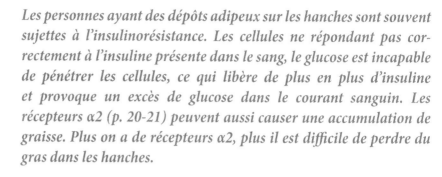

Les personnes ayant des dépôts adipeux sur les hanches sont souvent sujettes à l'insulinorésistance. Les cellules ne répondant pas correctement à l'insuline présente dans le sang, le glucose est incapable de pénétrer les cellules, ce qui libère de plus en plus d'insuline et provoque un excès de glucose dans le courant sanguin. Les récepteurs α2 (p. 20-21) peuvent aussi causer une accumulation de graisse. Plus on a de récepteurs α2, plus il est difficile de perdre du gras dans les hanches.

LES HABITUDES ALIMENTAIRES RESPONSABLES

Le type de glucides consommés influence notre glycémie. Les glucides se divisent en sucres simples et en sucres complexes. Les sucres simples (ex.: glucose, sucre blanc) sont très présents dans les aliments traités et raffinés (ex.: gâteaux, pain blanc, sucreries et pâtisseries). Ils sont digérés rapidement et absorbés aussitôt dans le sang, ce qui élève la glycémie. La réponse insulinique est alors immédiate et excessive tandis que le pancréas tente d'éliminer le surplus de glucose sanguin. L'alimentation occidentale regorge de ces aliments raffinés industriels.

LES HABITUDES DE VIE RESPONSABLES

Les deux principales hormones aidant à lutter contre le stress et à contrôler la glycémie sont le cortisol et l'adrénaline (voir encadré p. 27). Le stress auugmente la production de cortisol, ce qui peut causer de l'insulinorésistance puisque celui-ci empêche l'insuline d'accomplir sa tâche principale: transporter le glucose à l'intérieur des cellules. À la p. 91, je recommande un supplément pour aider vos surrénales à combattre le stress.

LES FACTEURS ENVIRONNEMENTAUX RESPONSABLES

Si vous avez grandi dans une maison où l'on mangeait des aliments frais, où l'on faisait de l'exercice, où l'on buvait modérément et où votre mère était en pleine forme durant sa grossesse, vous avez sûrement acquis de bonnes habitudes. Sinon, vous avez probablement des dépôts adipeux sur les hanches. La théorie de l'inné et de l'acquis ne tient pas ici; les habitudes acquises finissent toujours par l'emporter lorsqu'il est question d'alimentation.

PROBLÈMES DIGESTIFS

Des études indiquent que, une fois activés, certains composés chimiques naturels de notre corps entraveraient la réponse insulinique. Parmi les facteurs ciblés: sensibilités alimentaires, perméabilité intestinale, infections tel le candida, bactéries nocives et parasites. Demandez de passer un test si vous croyez être atteint d'un de ces problèmes.

5

passez à l'action!

Que devez-vous faire?

1 Changez vos habitudes alimentaires en évitant les sucres simples et raffinés. Optez plutôt pour les sucres complexes et les aliments qui libèrent l'énergie lentement dans le sang. Poursuivez votre lecture pour en savoir davantage.

2 Exercice. Le mouvement est essentiel à la vie. Le moment est venu de brûler votre graisse, d'améliorer votre circulation et de réajuster votre métabolisme (voir p. 92-93).

3 Une grande partie de la solution réside dans la manière dont vous utilisez et métabolisez les glucides. Les suppléments recommandés aux p. 90 et 91 augmenteront votre énergie et normaliseront la façon dont votre organisme utilise les sucres et les glucides. Tous ont été testés et essayés en clinique.

LES RADICAUX LIBRES

Notre corps brûle le glucose et l'oxygène pour créer de l'énergie. Au cours de ce processus, des molécules instables appelées «radicaux libres» sont créées et causent d'énormes dommages à nos cellules. Les radicaux libres sont aussi produits par la fumée de cigarette, la pollution et les métaux lourds. Normalement, le corps peut les neutraliser grâce aux antioxydants naturels (vitamine C des oranges, lycopène des tomates et bioflavonoïdes des agrumes). Si notre alimentation est carencée, si l'on est stressé ou exposé à la pollution, les radicaux libres peuvent endommager nos cellules et accélérer notre vieillissement. Ils rendent également les cellules moins sensibles à l'action de l'insuline, ce qui peut conduire éventuellement à une insulino-résistance.

RÉGIME de six semaines pour vos poignées d'amour

Pour réduire les dépôts adipeux sur vos hanches, vous devez consommer moins de sucres simples et raffinés. Ce n'est pas facile, surtout lorsqu'on a l'habitude de refaire le plein d'énergie avec du chocolat, par exemple. Adoptez le régime méditerranéen (p. 70 à 75). Familiarisez-vous d'abord avec ses principes et ses règles avant d'apporter les autres changements alimentaires recommandés pour votre cas particulier.

En plus du régime méditerranéen, je vous invite à respecter deux autres principes diététiques afin de pouvoir jouir d'un régime riche en glucides complexes. Il s'agit de l'index glycémique (IG) et de la charge glycémique (CG).

INDEX GLYCÉMIQUE

L'index glycémique indique l'effet des aliments sur notre glycémie. Plus il est élevé, plus notre glycémie augmente après avoir mangé. Un IG de 70 est élevé, un IG de 56 à 69 est moyen tandis qu'un IG de 55 et moins est bas. J'ai simplifié le tout en «bon» IG (bas et moyen) et en «mauvais» IG. Pour maintenir une glycémie stable et éviter l'insulinorésistance, limitez votre consommation d'aliments dont l'IG est «mauvais». Consultez le tableau de la page suivante pour les connaître. Lisez aussi les p. 96 et 97 pour avoir d'autres renseignements pertinents sur le sujet.

CHARGE GLYCÉMIQUE

La charge glycémique (CG) prend en compte la qualité et la quantité des glucides consommés. Par exemple, le sirop d'érable est un glucide simple à index glycémique élevé, c'est-à-dire qu'il est rapidement converti en glucose sanguin. Mais si vous n'en mettez que quelques gouttes dans votre yogourt, l'ensemble du plat aura une CG relativement basse malgré l'ajout de sirop d'érable. Une CG de 20 et plus est élevée, entre 11 et 19 elle est moyenne, et inférieure à 10 elle est optimale. Évidemment, les aliments qui ont à la fois une CG et un IG élevés doivent être évités à tout prix. Le tableau suivant indique les aliments que vous devriez mettre de côté.

INTERDIT

Les glucides et les sucres étant les principaux responsables de l'accumulation de graisse, évitez les aliments suivants: ils ont un mauvais indice glycémique et une charge glycémique élevée.

ALIMENTS À CHARGE GLYCÉMIQUE ET À INDICE GLYCÉMIQUE MAUVAIS POUR LA SANTÉ

Alcool (vin, bière, champagne, cocktails pétillants, spiritueux)
Baguette blanche
Barres musli aux fruits séchés
Beignets
Biscuits sucrés et salés
Céréales pour petit-déjeuner sucrées et traitées
Céréales sucrées
Chips et frites
Cocktails pétillants sucrés
Couscous
Dattes séchées
Doliques à œil noir

Farine blanche
Fruits en sirop (conserve)
Galettes de riz soufflé
Gâteaux et muffins
Gaufres
Glucose
Goûters sucrés (tous)
Ignames
Jus de fruits (sauf pomme et pamplemousse)
Lait concentré sucré
Liqueurs sucrées
Malt et produits dérivés
Miel
Millet (gruau/porridge)
Nouilles de riz
Nouilles udon (sarrasin)

Orge perlé
Pain blanc
Pain croustillant au seigle
Pâtes blanches
Pâtes de maïs
Petits pois (conserve)
Pommes de terre instantanées
Raisins de Smyrne
Raisins secs
Riz basmati blanc
Riz blanc
Saccharose
Sarrasin
Soupe aux pois cassés
Sucreries
Tortillas de maïs

PERMIS

Surveillez vos portions. Quelques raisins frais sont de mise, mais une grappe entière contient trop de sucre. Une tranche de pain de seigle est permise, pas quatre. Utilisez votre bon jugement et mangez beaucoup de légumes.

ALIMENTS À INDEX ET À CHARGE GLYCÉMIQUE ACCEPTABLES*		
Arachides crues (30)	Lait écrémé	Sirop d'agave (1 c. à thé/à café)
Aubergine	Laitue	Tartinade de fruits sans sucre
Beurre de noix	Légumineuses	(1 c. à thé/à café)
(1 c. à thé/à café)	Lentilles vertes et rouges	Tomates
Brocoli	Maïs congelé	Xylitol (sucre naturel)
Carotte crue	Maïs soufflé sans sel ni sucre	Yogourt nature sans sucre
Céréales de son sans sucre	(1 petit bol)	
(1 petit bol)	Musli sans sucre ni fruits	
Champignons	séchés (1 petit bol)	
Chou	Noix crues (12)	
Chou-fleur	Noix de cajou crues (10)	
Fettucines aux œufs (1 petite	Oignons	
portion)	Olives (10)	
Fruits (tous) (voir encadré	Pain complet de grains, de	
p. 73)	seigle noir, de blé entier	
Galettes d'avoine complète (2)	ou au levain (1 tranche)	
Gruau/porrige d'avoine	Pâtes au blé complet	
(1 petit bol)	(1 petit bol)	
Haricots jaunes	Petits pois frais	
Haricots pinto	Piments	
Haricots rouges	Pitas au blé entier (2)	
Haricots verts	Pois chiches	
Hoummos (2 c. à soupe)	Poivrons rouges	
Jus de pomme sans sucre	Pommes de terre nouvelles (3)	
(160 ml/⅔ de tasse)	Quinoa (1 petite portion)	

* (max. par jour entre parenthèses)

MANGEZ BEAUCOUP D'ALIMENTS RICHES EN ANTIOXYDANTS

Les antioxydants aident à prévenir les dommages causés par les radicaux libres et à diminuer l'insulinorésistance. Des chercheurs américains ont créé l'indice CARO afin d'évaluer la capacité antioxydante de divers aliments. La liste suivante permet d'apprécier le pouvoir antioxydant de plusieurs aliments, le nombre entre parenthèse en faisant foi. (J'ai retiré ceux qui ont une charge ou un index glycémique élevé.) Choisissez les aliments qui ont le meilleur indice. Par exemple, ajoutez 1 c. à thé (à café) de cannelle moulue à vos céréales ou quelques pincées de clou de girofle moulu à vos tisanes. Apprenez à les inclure dans vos plats. Prenez au moins deux portions par jour des aliments suivants et utilisez beaucoup d'épices.

ALIMENTS RICHES EN ANTIOXYDANTS

Açai (baies lyophilisées) 161 400	Curcuma moulu 159 277	Origan séché 200 129
Ail cru 5346	Doliques à œil noir crus 8040	Pacanes crues 17 940
Amandes crues 4454	Épinards crus 1515	Paprika 17 919
Assaisonnement au chili 23 636	Estragon frais 15 542	Pistaches crues 7983
Basilic séché 67 553	Fraises fraîches 3577	Poivre noir 27 618
Bleuets cultivés frais 6552	Framboises fraîches 4882	Pommes rouges 4275
Bleuets sauvages frais 9828	Gingembre frais 14 840	Prunes fraîches 6259
Brocoli cru 3083	Gingembre moulu 28 811	Sauge fraîche 32 400
Cacao (poudre non sucrée) 80 933	Goji (baies) 25 300	Thé vert infusé 1253
Canneberges fraîches 9548	Haricots rouges frais 8459	Thym frais 27 426
Cannelle moulue 267 536	Huile d'olive extra vierge 1150	
Cari (poudre) 48 504	Lentilles fraîches 7282	
Clou de girofle moulu 314 446	Lin (graines) 19 600	
Cumin (graines) 76 800	Marjolaine fraîche 27 297	
	Menthe fraîche 13 978	
	Mûres fraîches 5347	
	Noisettes crues 9645	

5

les poignées d'amour

PLANIFICATION DES MENUS

Ce menu vise à vous donner un large éventail des repas qui respectent les règles simples du régime méditerranéen (RM) énumérées à la p. 89. Il y a sept suggestions pour chaque repas, soit un menu complet pour toute la semaine. Lorsque vous serez mieux familiarisé avec le régime, vous pourrez adapter ces menus en tenant toujours compte de l'indice et de la charge glycémiques des aliments.

J'ai aussi inclus quelques idées de goûters. Prenez-en un le matin et un autre l'après-midi **SEULEMENT** si vous avez faim. Les collations font augmenter le nombre de calories et celles-ci font augmenter les dépôts adipeux.

MATIN

Choisissez parmi les repas suivants:

1 Gruau (porridge) d'avoine avec pomme ou poire hachée

2 Musli sans sucre avec lait écrémé

3 Œufs brouillés sur tranche de pain de seigle ou toast

4 Crêpes d'avoine aux petits fruits

5 Avoine grillée avec pomme râpée, cerises séchées et amandes

6 Salade de fruits et yogourt nature sans sucre

7 Tranche de pain de seigle, 1 c. à thé (à café) de beurre de noix et 1 c. à thé (à café) de tartinade de fruits

MIDI

Choisissez parmi les repas suivants:

1 Salade de thon avec 2 galettes d'avoine et hoummos

2 Poulet grillé et légumes vapeur

3 Salade de haricots, salade verte et soupe de lentilles

4 Champignons grillés au four avec fromage de chèvre et petite salade

5 Minestrone avec haricots blancs

6 Salade d'avocat avec pois chiches, tomates et poivrons

7 Frittata aux épinards

UN BON CONSEIL

★ Si vous consommez des protéines et des huiles santé à chaque repas avec vos glucides, ceux-ci seront absorbés moins rapidement dans le sang, ce qui maintiendra la stabilité de votre taux d'insuline.

SOIR

Choisissez parmi les repas suivants:

1 Sauté de légumes et de tofu avec noix de cajou

2 Bœuf maigre grillé, burgers d'agneau, pita et laitue

3 Poivrons farcis et salade verte

4 Spaghettis au blé complet avec sauce tomate à l'aubergine et aux olives

5 Saumon grillé avec haricots verts, brocoli et sauce au gingembre

6 Poulet sans peau sur lentilles du Puy

7 Soupe tomate-basilic avec 2 c. à thé (à café) de graines

GOÛTERS

Choisissez parmi les suivants:

1 Graines de tournesol et tranches de pomme

2 Tranche de pain complet et beurre de noix de cajou

3 Fruits frais (voir encadré p. 73)

BOISSONS

Buvez des tisanes chaudes pour contrer l'appétit et le besoin de stimulation orale.

Buvez 6 grandes tasses de tisane par jour. Vous pouvez remplacer les tisanes par de l'eau chaude.

Si vous ne pouvez pas vous passer d'alcool, vous pouvez boire un petit verre de vodka le soir (maximum: un verre, quatre fois par semaine)

RÈGLES SIMPLES DU RM

★ Pas de sucre

★ Faites place aux légumes

★ Beaucoup de fruits

★ Beaucoup de légumineuses

★ Poisson et fruits de mer régulièrement

★ Céréales complètes régulièrement

★ Consommation d'alcool très modérée

★ Peu de viande

★ Bons gras; ne pas se priver de gras

★ Peu de produits laitiers

★ Utilisez herbes et épices

★ Mangez des œufs

★ Savourez des noix et des graines

★ Portions normales

★ Évitez de manger seul

SUPPLÉMENTS pour les poignées d'amour

Les suppléments naturels aident à équilibrer les hormones et à améliorer le métabolisme du sucre et des glucides. Voici les suppléments qui pourront vous aider à perdre vos dépôts adipeux sur les hanches et à mieux contrôler votre glycémie.

MULTIVITAMINE ET MINÉRAUX QUOTIDIENS

Prenez un supplément de multivitamine et de minéraux contenant une bonne quantité de vitamine C, pyridoxine (B_6), niacine (B_3), biotine, zinc, vanadium, calcium et sélénium; ces puissants antioxydants aident aussi à contrer l'insulinorésistance. L'idéal est une multivitamine procurant 100 % de la dose recommandée par jour.

HUILE DE POISSON PURE

Prenez 3000 mg d'huile de poisson pure ou, si vous êtes végétarien, 3000 mg d'huile de lin biologique pressée à froid (capsule ou huile versée sur les aliments).

CANNELLE

Cette épice ralentit la vitesse à laquelle les aliments digérés quittent l'estomac et le glucose pénètre dans le sang. Selon l'*American Journal of Clinical Nutrition,* il suffit de ½ c. à thé (à café) de cannelle pour diminuer la vidange gastrique de 35 %. Ce puissant antioxydant aide aussi à réduire les dommages causés aux récepteurs de l'insuline par les radicaux libres. Si vous n'aimez pas son goût, prenez un supplément de 5 g de *Cinnamomum cassia.*

CHROME

Les suppléments de chrome ont mis fin en quelques jours à mes symptômes d'hypoglycémie. Le chrome est l'un des nutriments les plus importants pour contrôler la glycémie. Les aliments raffinés et traités en contiennent peu. Regardez la quantité de chrome contenue dans votre multivitamine et prenez un supplément afin que votre apport total quotidien atteigne 250 mcg.

NOTE IMPORTANTE

⚠️ Ne prenez pas ces suppléments si vous êtes enceinte ou si vous allaitez.

⚠️ Un changement de couleur de l'urine peut survenir; c'est sans danger.

⚠️ Si vous prenez des médicaments, consultez d'abord votre médecin.

5

passez à l'action!

MAGNÉSIUM

Le magnésium est indispensable à de nombreux procédés biologiques, dont la production d'énergie et le contrôle de la glycémie. Les carences sont fréquentes puisque les aliments raffinés et traités sont dépourvus d'une grande partie de ce minéral. Le stress joue aussi un rôle majeur sur notre taux de magnésium. Regardez la quantité de magnésium contenue dans votre multivitamine et prenez un supplément afin que votre apport total quotidien atteigne 300 mg.

ZINC

Le zinc est essentiel à la production d'insuline et aide celle-ci à se fixer aux récepteurs des cellules. Une carence en zinc affecte directement l'action de l'insuline et nuit à la bonne digestion en créant des carences au niveau d'autres nutriments essentiels. Regardez la quantité de zinc contenue dans votre multivitamine et prenez un supplément afin que votre apport total quotidien atteigne 15 mg.

FIBRES DE GLUCOMANNAN

Ces fibres solubles permettent un meilleur contrôle de la glycémie, améliorent l'action de l'insuline et réduisent les taux de cholestérol dans le sang. Prenez-en 10 g par jour avec beaucoup d'eau. Ce produit est vendu dans la plupart des magasins d'alimentation naturelle.

1 COMPRIMÉ DE MULTI-VITAMINE	3000 MG D'HUILE DE POISSON	1 C. À THÉ (À CAFÉ) DE CANNELLE	250 MCG DE CHROME	300 MG DE MAGNÉSIUM	15 MG DE ZINC	10 G DE FIBRES DE GLUCO-MANNAN	

PROGRAMME D'EXERCICE pour les poignées d'amour

Ce programme est conçu pour vous énergiser et vous aider à éliminer les dépôts adipeux sur vos hanches. Relisez les p. 76 à 81 si vous avez besoin d'encouragements pour rester fidèle à votre programme d'exercice.

Faites les mouvements de résistance suivants: **DÉVELOPPÉS DEBOUT** et **DÉVELOPPÉ COUCHÉ** pour le haut du corps et **FLEXIONS SUR JAMBES** et **SOULEVÉ DE TERRE AVEC HALTÈRES** pour le bas du corps (p. 78 à 81)

BUT

Vous ferez une série de mouvements à intensité **MODÉRÉE** en faisant un étirement presque complet chaque fois. Contrôlez bien votre rythme et votre respiration, en bougeant et en respirant dans une proportion de 4-2 secondes. Lorsque vous serez en meilleure forme, vous pourrez augmenter progressivement la charge, mais pas plus de 20 % d'une séance à l'autre. Travaillez toujours à intensité modérée.

Faites une séance **TOUS LES DEUX JOURS** de préférence, soit **TROIS** ou **QUATRE** fois par semaine, en répétant la même séquence chaque fois.

EXERCICE CARDIO

La façon la plus naturelle de faire du cardio est de marcher ou de courir. Élevez votre fréquence cardiaque, mais jamais à un niveau extrême. Faites un effort d'intensité stable pendant 5 à 10 minutes à 70-80 % de votre fréquence cardiaque maximale (vous devriez pouvoir tenir une conversation). Respectez toujours les limites de votre programme. N'augmentez pas votre effort cardio de plus de 10 % chaque fois que vous voulez progresser et assurez-vous d'être capable de parler normalement tout en faisant vos exercices. Cette progression en douceur vous empêchera de vous surentraîner. Dans le cadre de ce programme, vous devez faire des efforts, mais toujours avec modération.

AUTRES ACTIVITÉS

En plus de votre programme, soyez actif dès que l'occasion se présente. Prenez les escaliers plutôt que l'ascenseur et marchez au lieu de prendre votre voiture lorsque c'est possible. Si vous travaillez en position assise, étirez-vous de temps à autre. Les activités relaxantes et méditatives vous seront aussi bénéfiques.

PROGRAMME D'EXERCICE POUR LES POIGNÉES D'AMOUR

Répétez les exercices 1 à 5 deux ou trois fois dans le même ordre		DURÉE/RÉPÉTITIONS
1 **LÉGER ÉCHAUFFEMENT CARDIO** (élevez votre fréquence cardiaque)	Course ou marche rythmée (ou cyclisme, aviron ou cross training)	5 à 10 minutes (intensité modérée)
2 **HAUT DU CORPS** **1er EXERCICE**	Amener au sol ↓ 2 expirer ↑ 4 inspirer	15 à 20 répétitions Repos: 30 secondes
3 **BAS DU CORPS** **1er EXERCICE**	Flexions sur jambes ↓ 4 inspirer ↑ 2 expirer	15 à 20 répétitions Repos: 30 secondes
4 **HAUT DU CORPS** **2e EXERCICE**	Développé couché avec ou sans haltères ↓ 4 inspirer ↑ 2 expirer	15 à 20 répétitions Repos: 30 secondes
5 **BAS DU CORPS** **2e EXERCICE**	Soulevé de terre avec haltères ↓ 4 expirer ↑ 2 inspirer	15 à 20 répétitions Repos: 30 secondes

CODE

↑ ↓ = sens du mouvement

4/2 = tempo (ex.: pousser: 2 ou 4 secondes; revenir: 2 ou 3 secondes)

Inspirer/expirer = quand respirer

La graisse **ABDOMINALE**

Si vous subissez beaucoup de stress de façon permanente, il n'est pas surprenant que vous ayez un dépôt adipeux au niveau de l'abdomen. Le stress mal géré augmente le taux de cortisol (p. 15), une hormone qui élève la gycémie, ce qui a pour effet de libérer de l'insuline, laquelle emmagasine en retour le glucose dans la graisse abdominale. Les récepteurs α2 peuvent aussi causer l'accumulation de graisse dans l'abdomen.

LES HABITUDES ALIMENTAIRES RESPONSABLES

Au banc des accusés, on trouve une surconsommation de calories provenant des glucides sous forme d'alcool, de céréales et de farines raffinées. Un verre de vin rouge de 250 ml contient environ 180 calories et 500 ml de bière environ 230 calories. Si vous êtes une femme, deux grands verres de vin contiennent plus de 20 % de votre besoin quotidien en calories. Un verre de jus de fruits moyen contient 120 calories, une boisson pétillante 145 et un croissant plus de 250.

Le café et les autres stimulants ne fournissent aucune énergie; ils stimulent les surrénales à sécréter rapidement de l'adrénaline, ce qui donne l'illusion d'avoir plus d'énergie jusqu'à ce qu'on finisse par se sentir épuisé.

LES HABITUDES DE VIE RESPONSABLES

Le rythme de la vie moderne est souvent chaotique. Le stress provoque une sécrétion élevée et continue de cortisol dans le corps, ce qui ne fait qu'exacerber le problème.

LES FACTEURS ENVIRONNEMENTAUX RESPONSABLES

Les méthodes d'agriculture intensives appauvrissent les sols d'une grande partie de leur magnésium. La transformation industrielle des aliments déprive ceux-ci de vitamines précieuses telles que l'acide panthoténique (B5), essentiel aux surrénales.

Notre exposition à l'électricité et aux champs électromagnétiques a considérablement augmenté au cours des vingt dernières années. Ces nouveaux appareils polluent l'espace de vibrations magnétiques et électriques

---

PROBLÈMES CONNEXES

La graisse abdominale peut accroître le risque de problème cardiaque. Il est prouvé que l'augmentation du tour de taille est proportionnelle au risque d'attaque cardiaque. Ceux qui ont le tour de taille disproportionné sont près de deux fois plus à risque d'avoir un problème de cœur.

5

passez à l'action!

causant beaucoup de stress à notre corps (cellulaires, portables, modems, ordinateurs, pylônes radio, etc.).

Débranchez tous vos appareils (routeurs sans fil, ordinateurs, vidéos, etc.) lorsque vous ne les utilisez pas. Fermez vos téléphones mobiles, surtout lorsque vous traversez un long tunnel ou que vous voyagez en métro. Ne mettez pas de télé dans votre chambre à coucher et placez le réveil loin de votre tête. Évitez d'avoir des câbles sous votre lit et débranchez les appareils électriques.

Les appareils pour télécommunications numériques améliorées sans fil (DECT) émettent les mêmes radiations micro-ondes que le système global de communications mobiles (GSM). Achetez plutôt un téléphone transmettant uniquement à partir de la base au moment de soulever le combiné, ce qui diminue l'émission des radiations.

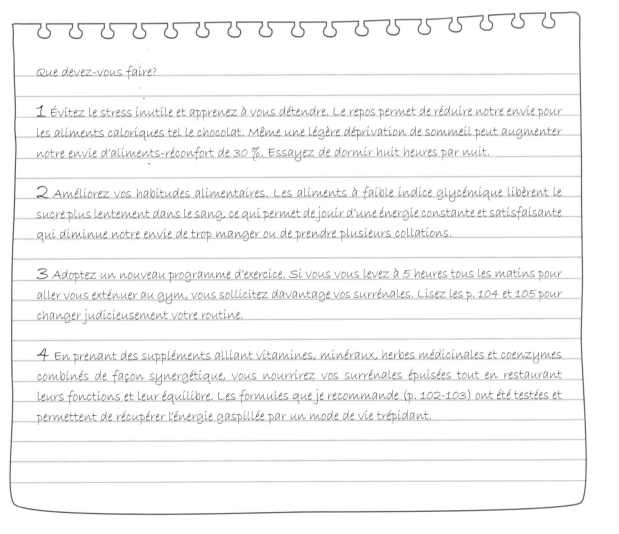

Que devez-vous faire?

1 Évitez le stress inutile et apprenez à vous détendre. Le repos permet de réduire notre envie pour les aliments caloriques tel le chocolat. Même une légère déprivation de sommeil peut augmenter notre envie d'aliments-réconfort de 30 %. Essayez de dormir huit heures par nuit.

2 Améliorez vos habitudes alimentaires. Les aliments à faible indice glycémique libèrent le sucre plus lentement dans le sang, ce qui permet de jouir d'une énergie constante et satisfaisante qui diminue notre envie de trop manger ou de prendre plusieurs collations.

3 Adoptez un nouveau programme d'exercice. Si vous vous levez à 5 heures tous les matins pour aller vous exténuer au gym, vous sollicitez davantage vos surrénales. Lisez les p. 104 et 105 pour changer judicieusement votre routine.

4 En prenant des suppléments alliant vitamines, minéraux, herbes médicinales et coenzymes combinés de façon synergétique, vous nourrirez vos surrénales épuisées tout en restaurant leurs fonctions et leur équilibre. Les formules que je recommande (p. 102-103) ont été testées et permettent de récupérer l'énergie gaspillée par un mode de vie trépidant.

RÉGIME de six semaines pour votre graisse abdominale

La meilleure façon d'avoir une glycémie bien balancée est de consommer des aliments à indice glycémique peu élevé. Comme ils sont plus lents à digérer, le glucose arrive progressivement dans le sang. Adoptez mon régime méditerranéen (p. 70 à 75). Familiarisez-vous d'abord avec ses principes et ses règles avant d'apporter les autres changements alimentaires recommandés pour votre cas particulier.

L'**INDICE GLYCÉMIQUE** (IG) mesure l'impact de aliments sur la glycémie. Les aliments à indice glycémique élevé ou néfaste pour la santé sont faciles à digérer, ce qui élève rapidement la concentration de glucose dans le sang. Quant aux aliments à indice glycémique bas, ils font en sorte que la glycémie augmente doucement au cours d'une période de temps prolongée puisque leur digestion et leur assimilation sont plus longues.

Les boissons gazeuses sont un exemple classique d'aliments à index glycémique élevé. Dès que l'on commence à en boire, le glucose pénètre dans le sang en nous procurant une stimulation immédiate, suivie rapidement d'une baisse de sucre. Ce cercle vicieux nous porte à en boire davantage. Lorsqu'on mange des pâtes et du pain de blé complets, le glucose fait lentement son entrée dans le flux sanguin, ce qui nous permet de jouir d'une bonne énergie pendant une plus longue période.

L'augmentation de la glycémie due à la consommation d'aliments à indice glycémique élevé favorise la libération de l'insuline. Comme nous l'avons vu précédemment, cette hormone élimine l'excès de glucose sanguin et l'emmagasine sous forme de graisse. Il devient alors plus difficile de perdre du poids. La moitié de votre combat sera gagné si vous apprenez à stabiliser votre glycémie même lorsque vous avez une montée de cortisol due au stress.

Afin de vous faciliter la tâche, voici un tableau indiquant les aliments que vous devriez éviter au cours de vos six semaines de régime. N'ignorez **PAS** cette liste. Dans les pages suivantes, vous trouverez la liste des aliments à indice glycémique bas ou moyen convenant à votre régime.

5

passez à l'action!

INTERDIT

ALIMENTS À INDICE GLYCÉMIQUE ÉLEVÉ

PRODUITS DIÉTÉTIQUES	Pains blancs, pâtes blanches, riz blanc, farine blanche, biscuits, sucreries, goûters sucrés et confiseries
PRODUITS DE LAIT DE VACHE	Beurre, crème, lait entier, yogourt entier
CÉRÉRALES POUR PETIT-DÉJEUNER	Céréales traitées sucrées, musli aux fruits séchés
CONDIMENTS AVEC SUCRE AJOUTÉ	Mayonnaise, ketchup, sauce chili sucrée (lisez les étiquettes pour identifier toute présence de sucre)
FRUITS	Fruits séchés (tous les raisins secs, abricots, figues, dattes, etc.), jus de fruits, fruits à index glycémique élevé (ananas, mangue, banane, melon d'eau (pastèque), cantaloup, etc.)
LÉGUMES	Pommes de terre
MALT	Céréales transformées contenant du malt
BOISSONS	Bière, champagne, vin, cola, soda tonique, cocktails pétillants, liqueurs, boissons aux fruits incluant boissons fruitées concentrées, café
SUCRES	Sucre de canne, saccharose, glucose, fructose (comme ingrédient), miel, chocolat, confitures et marmelades, crème glacée, sauces du commerce

À PROPOS DE L'INDICE GLYCÉMIQUE

★ Les aliments à indice glycémique élevé peuvent nous inciter à manger 60 % de calories en plus lors du repas suivant. Ceux qui consomment des aliments riches en glucose (ex.: pain blanc et pâtes) mangent au cours du repas suivant environ 200 calories de plus que ceux qui optent pour des aliments à indice glycémique bas.

★ Il est prouvé que les personnes qui suivent un régime à indice glycémique bas pendant plusieurs années sont moins prédisposées à développer du diabète de type 2 et des maladies cardiaques.

★ Lors d'une étude, des rats soumis à un régime à indice glycémique élevé pendant 18 semaines étaient 71 % plus gras que ceux qui absorbaient des aliments à indice glycémique bas. Leur masse maigre était aussi moins élevée de 8 %.

5

l'abdomen

FRUITS ET LÉGUMES FRAIS

Les légumes qui figurent sur le tableau de droite sont riches en antioxydants et peuvent être consommés en abondance. Mangez-en aux repas, pour le goûter et chaque fois que vous avez envie de tricher. Mangez des fruits à faible indice glycémique et évitez les fruits séchés, les jus de fruits et les fruits tropicaux (voir tableau p. 97), trop riches en sucre.

GRAINS ENTIERS

Optez pour le pain au blé complet et les grains entiers, les pâtes au blé complet ou au sarrasin, le quinoa et le riz brun.

ÉVITEZ LES PRODUITS DE LAIT DE VACHE

Achetez des produits à base de lait de chèvre ou de brebis – de préférence pauvres en gras – plutôt que des produits faits de lait de vache, plus riches en gras saturés. Mais vous pouvez manger à volonté du yogourt de lait de vache écrémé sans sucre.

CÉRÉALES SANS MALT

Faites votre musli (faites griller de petites quantités de flocons d'avoine, de quinoa et d'orge et ajoutez-y des noix et des graines) ou votre gruau. Si vous achetez vos céréales, choisissez celles de grains entiers (ex.: 100 % flocons de maïs ou riz soufflé) sans sucre. Lisez les étiquettes pour éviter le malt et le sucre.

UN BON SUBSTITUT DU SUCRE

Même s'il est recommandé d'éviter le sucre et les édulcorants, vous pouvez utiliser du xylitol, un «sucre» à faible indice glycémique. C'est un dérivé du xylane, présent dans le bouleau et d'autres arbres à bois dur, les petits fruits, la coque des amandes et les épis de maïs. Son aspect, son goût et sa texture sont similaires à ceux du sucre ordinaire, mais il n'a aucun arrière-goût et contient 40 % moins de calories. On l'utilise comme le sucre pour cuisiner ou rehausser le goût des boissons, des desserts et des céréales. N'en prenez pas plus de 1 c. à thé (à café) par jour.

LÉGUMINEUSES

Remplacez les pommes de terre et le riz par les haricots secs, les pois et les lentilles. Leur indice glycémique est moins élevé et leurs glucides sont libérés plus lentement dans le sang; ils sont riches en protéines et en nutriments en plus de fournir du fer, du calcium, du folate et des fibres solubles.

MANGEZ PLUS DE NOIX ET DE GRAINES

Les noix ont un indice glycémique bas et sont satisfaisantes. Elles sont aussi une source d'acides gras essentiels, importants pour perdre du poids et maintenir un bon taux de glycémie.

Mangez tous les aliments suivants avec modération, sauf les légumes.

ALIMENTS À INDICE GLYCÉMIQUE BAS	
Légumes	Artichauts, haricots verts, asperges, pommes vertes, aubergine, épinards, germes de haricot, bette à carde, brocoli, bok choy, choux de Bruxelles, laitues, chou, mange-tout, chou-fleur, champignons, céleri, gombos, ciboulette, oignons, poireaux, algues laminaire et nori, courgettes, radis, concombres, tomates, ail, pousses, poivrons, chou vert frisé Mangez betteraves, courge musquée, carottes et patates douces avec modération
Protéines	Œufs, poisson frais, poulet sans peau, viande rouge très maigre, tofu, tempeh
Légumineuses	Doliques à œil noir, pois chiches, haricots jaunes, secs, mungo, pinto et de soja
Fruits	Pommes, abricots, avocat, petits fruits, cerises, figues fraîches, pamplemousse, raisins, mangues, nectarines, oranges, pêches, poires, prunes, tangerines
Noix et graines	Amandes, noisettes, noix, pacanes, graines de tournesol, pignons, graines de citrouille, graines de sésame, beurres de noix
Huile	Huile d'olive extra vierge pressée à froid
Céréales	Amarante, quinoa, riz brun, orge, sarrasin, millet, avoine, pain et pâtes de blé ou de seigle complet à 100 %, épeautre
Produits laitiers	Lait écrémé, boisson (jus) de soja, boisson (jus) d'avoine, yogourt nature écrémé sans sucre, babeurre, kéfir, produits laitiers de chèvre ou de brebis écrémés

5

l'abdomen

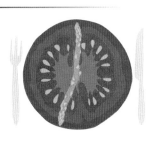

AU MENU

Vous pouvez faire ce régime à la lettre ou l'adapter à votre goût. Il s'agit avant tout que vous maîtrisiez l'art de préparer des repas santé avec des aliments savoureux à index glycémique faible.

Essayez de manger 25 % de moins que ce que vous consommez normalement. Mastiquez et goûtez vos aliments afin d'éprouver une sensation de satiété plus rapidement. Prenez votre temps et mangez lentement. Mettez toujours vos aliments dans une assiette afin de ne pas vous servir directement dans le réfrigérateur. Assoyez-vous; mangez jusqu'à ce que vous soyez presque repu sans jamais avoir l'impression d'avoir trop mangé.

MATIN

Choisissez parmi les repas suivants:

1 Une poire fraîche et un petit bol de gruau/porridge d'avoine chaud avec lait écrémé, boisson (jus) de soja ou lait (et quelques petits fruits au goût)

2 Un petite portion d'œufs brouillés (sans crème ni beurre) avec saumon fumé

3 Salade de fruits: pommes, poires, prunes, cerises, pêches, agrumes et petits fruits avec 1 c. à soupe de yogourt nature écrémé sans sucre

4 Une tranche de pain complet (contenant noix et graines), tranches fines d'avocat, tomate et un peu de poisson gras (maquereau, saumon ou hareng fumé) ou de fines tranches de dinde ou de poulet

5 Frittata (œuf, légumes, champignons, tomates, ciboulette ou échalotes). Ajoutez des lanières de dinde pour avoir plus de protéines

6 Frappé aux bananes avec lait écrémé et cannelle

7 Musli d'avoine avec son d'avoine, amandes, graines de tournesol, germe de blé frais et cannelle

MIDI

Divisez votre assiette ainsi:

1 La **MOITIÉ** doit être remplie de salade composée crue ou de légumes cuits légèrement à la vapeur. Incluez au moins trois légumes de couleurs différentes et ajoutez un peu d'huile d'olive extra vierge.

2 Le **QUART** doit inclure des céréales complètes. Essayez du riz brun parsemé de graines de sésame et mélangé avec un peu de tahini ou des pâtes au blé complet avec sauce tomates fraîches-basilic-ail.

3 Le dernier **QUART** de l'assiette doit être composé d'une protéine maigre pauvre en gras: poisson frais grillé, saumon fumé, poulet bio sans peau, œufs bios, tofu ou lentilles avec fines herbes hachées.

REPAS DU SOIR

Choisissez parmi les repas suivants:

1 Soupe aux légumes et aux haricots (on peut y ajouter un peu de bouillon de légumes)

2 Gaspacho froid avec tranche de pain au blé entier ou aux céréales complètes et salade de tomate au basilic

3 Légumes sautés à l'orientale avec poulet, gingembre et lime

4 Pâtes au blé complet avec pesto frais, salade verte et légumes vapeur

5 Ratatouille de légumes avec riz brun et graines de sésame

6 Darne de thon avec mélange de légumineuses et salade d'oignons

7 Casserole de poulet aux pois chiches

GOÛTERS

Pour stabiliser votre glycémie, prenez un goûter entre les repas. Prenez trois petits repas par jour que vous mastiquerez bien, puis prenez deux bon goûters santé à indice glycémique peu élevé.

Choisissez parmi les suivants:

1 Une portion de légumes vapeur avec huile d'olive extra vierge, vinaigre balsamique et 1 c. à thé (à café) de pignons

2 Quelques noix mélangées sans sel (maximum: 12 par jour)

3 Crudités (céleri, bâtonnets de carotte, bouquets de brocoli et de chou-fleur) avec un peu de hoummos

4 Yogourt nature écrémé sans sucre avec quelques pignons ou petits fruits

BOISSONS

Un grand verre d'eau ou une tisane au lever. Buvez des tisanes chaudes pour contrer l'appétit et le besoin de stimulation orale.

Buvez 6 grandes tasses de tisane ou d'eau chaude par jour.

Si vous ne pouvez pas vous passer d'alcool, vous pouvez boire un petit verre de vodka le soir (maximum: un verre, quatre fois par semaine)

SUPPLÉMENTS pour la graisse abdominale

Ces suppléments complémenteront vos exercices et vos changements alimentaires en équilibrant vos niveaux de cortisol et rétabliront vos fonctions surrénales.

MULTIVITAMINE ET MINÉRAUX QUOTIDIENS

Choisissez une multivitamine contenant beaucoup de vitamines du groupe B et de magnésium. Je recommande une multivitamine procurant 100 % de la dose recommandée par jour.

HUILE DE POISSON PURE

Prenez 3000 mg d'huile de poisson pure chaque jour ou, si vous êtes végétarien, 3000 mg d'huile de lin biologique pressée à froid.

DYSFONCTION SURRÉNALE

Les surrénales sécrètent du cortisol selon un rythme quotidien. Le niveau étant le plus élevé vers 7 ou 8 heures, cela permet de se réveiller sans difficulté. La sécrétion diminue au cours de la journée et atteint son plus bas niveau entre minuit et 4 heures. Certains événements – par exemple, manger – peuvent provoquer une légère hausse du taux de cortisol.

Les surrénales traversent trois stades lorsque vous subissez un stress physique et émotionnel.

STADE 1 «TENDU»: perte de maîtrise, crainte, agitation et tension
STADE 2 «TENDU ET FATIGUÉ»: agitation, nervosité et fatigue
STADE 3 «FATIGUÉ»: épuisement physique et mental

	OUI ou NON
ÊTES-VOUS TENDU? Symptômes: nervosité, anxiété, agitation, tension, distraction, irritabilité, perte de maîtrise, chaleurs, rages d'aliments, hypertension et mélancolie	
ÊTES-VOUS FATIGUÉ? Symptômes: fatigue, apathie, dépression, nombreux inconforts physiques, ballonnements, diarrhée, fatigue chronique, problèmes de mémoire, obésité stomacale, perte de libido, pâleur, sensation d'avoir froid	

SI VOUS ÊTES TENDU, AJOUTEZ:
REHMANNIA

Rehmannia glutinosa est l'herbe chinoise la plus importante pour les problèmes de surrénales. Prenez-en 50 g par jour combinée avec du schizandra (voir ci-après). Si vous achetez ce produit en ligne, assurez-vous de la réputation du site choisi.

SCHIZANDRA

Le fruit du schizandra calme et renforce les surrénales et le système nerveux. Utilisez un extrait de schizandra normalisé (*schisandra chinensis*) contenant de 3 à 4 % de schisandrine. Vous pouvez en prendre jusqu'à 90 mg par jour.

1 COMPRIMÉ DE MULTI-VITAMINE	3000 MG D'HUILE DE POISSON	50 G DE REHMANNIA	90 G DE SCHIZANDRA	300 MG DE MAGNÉSIUM (FACULTATIF)			

SI VOUS ÊTES FATIGUÉ, AJOUTEZ:
GINSENG

Le ginseng (*Panax ginseng*) aide le corps à composer avec le stress physique et psychologique, les infections et le stress. Je recommande 400 mg par jour. Assurez-vous que le produit normalisé contient des ginsénosides.

RHODIOLE

L'extrait de *Rhodiola rosea* aide en cas de stress et d'épuisement professionnel. Je recommande une dose de 300 mg par jour. Assurez-vous que le produit normalisé contient des composés de rosavine et de salidroside.

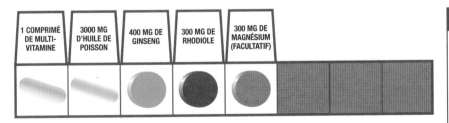

1 COMPRIMÉ DE MULTI-VITAMINE	3000 MG D'HUILE DE POISSON	400 MG DE GINSENG	300 MG DE RHODIOLE	300 MG DE MAGNÉSIUM (FACULTATIF)			

SUPPLÉMENT FACULTATIF
MAGNÉSIUM

Prenez 300 mg de magnésium pour calmer vos nerfs et nourrir vos surrénales.

Programme d'**EXERCICE** pour l'abdomen

L'exercice peut réduire votre stress. Vous vous sentirez mieux et aurez meilleure mine. Vous gagnerez une vitalité nouvelle sans être exténué pour autant. Relisez les p. 76 à 81 si vous avez besoin d'encouragements pour rester fidèle à votre programme d'exercice.

Les contractions abdominales sans fin pour réduire la graisse accumulée pourrait en fait faire grossir votre ventre. Faites plutôt les mouvements de résistance suivants: **ÉTIREMENTS DES BRAS** et **DÉVELOPPÉ COUCHÉ** pour le haut du corps et **SOULEVÉ DE TERRE AVEC HALTÈRES** et **FLEXIONS SUR JAMBES** pour le bas du corps (p. 78 à 81).

BUT

Vous ferez une série de mouvements en faisant un étirement presque complet chaque fois. Contrôlez bien votre rythme et votre respiration, en bougeant et en respirant dans une proportion de 4-2 secondes.

Entraînez-vous à un rythme **MODÉRÉ.** Utilisez le poids de votre corps ou des haltères courts légers comme résistance en répétant chaque exercice de 15 à 20 fois. Lorsque vous serez en meilleure forme et moins stressé, vous pourrez faire appel à une plus grande résistance en augmentant progressivement la grosseur des haltères, mais pas plus de 20 % d'une séance à l'autre.

Afin de ne pas surstresser votre corps, faites 30 secondes de respiration contrôlée entre les exercices.

Faites une séance **TOUS LES DEUX JOURS,** soit **TROIS OU QUATRE** fois par semaine, en répétant la même séquence chaque fois. Ne soyez pas stressé s'il vous arrive de manquer une séance.

EXERCICE CARDIO

La façon la plus naturelle de faire du cardio est de marcher ou de courir. Élevez votre fréquence cardiaque, mais jamais à un niveau extrême. Faites un effort d'intensité stable pendant 5 à 10 minutes à 70-80 % de votre fréquence cardiaque maximale (vous devez pouvoir tenir une conversation). Respectez toujours les limites de votre programme. N'augmentez pas votre effort cardio de plus de 10 % chaque fois que vous voulez progresser et assurez-vous d'être capable de parler normalement en tout temps. Cette progression en douceur vous empêchera de vous surentraîner. Vous devez faire des efforts, mais toujours avec modération.

PROGRAMME D'EXERCICE POUR L'ABDOMEN

Répétez les exercices 1 à 5 deux ou trois fois dans le même ordre		DURÉE/RÉPÉTITIONS
1 LÉGER ÉCHAUFFEMENT CARDIO (élevez votre fréquence cardiaque)	Course ou marche rythmée	5 à 10 minutes (intensité modérée)
2 HAUT DU CORPS 1er EXERCICE	Étirements des bras (avec câble ou bande de résistance) ← 2 expirer → 4 inspirer	15 à 20 répétitions Repos: 30 secondes
3 BAS DU CORPS 1er EXERCICE	Soulevé de terre avec haltères ↓ 4 inspirer ↑ 2 expirer	15 à 20 répétitions Repos: 30 secondes
4 HAUT DU CORPS 2e EXERCICE	Développé couché avec ou sans haltères ↓ 4 inspirer ↑ 2 expirer	15 à 20 répétitions Repos: 30 secondes
5 BAS DU CORPS 2e EXERCICE	Flexions sur jambes ↓ 4 inspirer ↑ 3 expirer	15 à 20 répétitions Repos: 30 secondes

CODE

← ↑ = sens du mouvement

3/2 = tempo (ex.: pousser: 2 ou 3 secondes; revenir: 4 secondes)

Inspirer/expirer = quand respirer

AUTRES ACTIVITÉS

En plus de ces exercices, faites une activité agréable et amusante vous permettant d'oublier votre stress. Toute activité méditative ou calmante vous sera aussi bénéfique.

Les bourrelets sous **LES OMOPLATES**

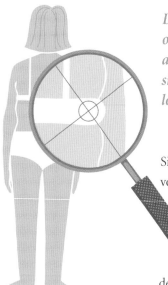

Les femmes qui souffrent d'hypothyroïdie ont l'air fatiguées, elles ont des sautes d'humeur et leur corps est large et gonflé. On peut aussi voir des dépôts adipeux sous leurs omoplates et, souvent, leur silhouette est presque rectangulaire. Il est difficile de perdre du poids lorsque la thyroïde est atteinte.

Si vous avez des bourrelets bien visibles sous les omoplates, il se peut que votre thyroïde soit atteinte. Vous avez peut-être aussi un problème de thyrotrophine (TSH), de thyroxine (T4) ou de triiodothyronine (T3) (voir p. 30-31). Les médicaments antidiabétiques et antimicrobiens peuvent aussi ralentir la thyroïde. Certaines femmes prenant des médicaments à base d'œstrogène, incluant la pilule contraceptive, ont des symptômes d'hypothyroïdie même si leurs analyses de sang n'indiquent aucun malfonctionnement de leur thyroïde (voir encadré p. 107).

SYMPTÔMES DE L'HYPOTHYROÏDIE:

✔ Gain de poids, surtout autour de la taille et sous les omoplates
✔ Sensation de froid, surtout dans les pieds et les mains
✔ Fatigue, surtout après avoir mangé
✔ Ongles cassants, peau et cheveux secs, peau qui pèle
✔ Mauvaise mémoire, difficulté à se concentrer
✔ Dépression et/ou anxiété
✔ Maux de tête et migraines
✔ Perte de cheveux
✔ Rétention d'eau
✔ Constipation

LES HABITUDES ALIMENTAIRES RESPONSABLES

⚠ Les goitrogènes sont des substances naturellement présentes dans certains aliments. Elles peuvent interférer avec le fonctionnement normal de la thyroïde et compromettre la production des hormones thyroïdiennes. Pour éliminer le gras sous les omoplates, limitez votre consommation d'aliments contenant des goitrogènes: brocoli, choux de Bruxelles, chou, chou-fleur, chou vert frisé, chou-rave, moutarde, rutabaga, millet, pêches, arachides, radis, haricots de soja et dérivés, épinards et fraises. Si vous devez en manger, faites-les cuire puisque la cuisson désactiverait les composés goitrogéniques. Les aliments énumérés précédemment sont excellents pour la santé; ne vous en privez pas si vous ne souffrez pas d'hypothyroïdie. Même si l'on consomme ces aliments chaque jour, ils n'interfèrent pas avec notre fonctionnement thyroïdien si l'on jouit d'une bonne santé.

⚠ Le problème des bourrelets sous les omoplates peut aussi être causé par une déficience en iode, en zinc ou en sélénium, une consommation d'alcool élevée ou une toxicité provoquée par les métaux lourds.

5

passez à l'action!

LES HABITUDES DE VIE RESPONSABLES

⚠ Le stress et les surrénales jouent aussi un rôle important sur les hormones thyroïdiennes. Au cours d'une longue période de stress d'origine interne (épuisement mental) ou externe (la pression des événements qui nous affectent), les surrénales produisent plus de cortisol (hormone du stress), ce qui altère le métabolisme thyroïdien. Ce déséquilibre fait chuter la production de TSH, laquelle cause à son tour un déclin de la production de T3. Heureusement, il est possible de diminuer son niveau de stress.

⚠ Un jour, une athlète de haut niveau m'a consulté parce qu'elle se sentait fatiguée, frileuse et complètement à plat. L'exercice très intense peut causer un grand stress à notre corps et causer des problèmes thyroïdiens. Un test a démontré qu'elle avait un taux très faible de T3. Je lui ai recommandé de faire du yoga et des exercices de respiration profonde. Je lui ai aussi conseillé de prendre certains suppléments. Peu de temps après, elle m'a annoncé qu'elle venait de briser son propre record et qu'elle se sentait vraiment mieux. Si vous êtes stressé, identifiez la source de votre problème et pensez aux solutions qui pourraient vous aider. Profitez de longs moments pour vous relaxer et aérer votre esprit.

ANALYSE DE SANG POUR LA THYROÏDE

Dans le milieu médical traditionnel, une analyse de sang standard peut mesurer les taux de T4 et de TSH afin de diagnostiquer une hypothyroïdie éventuelle. Ce test est insuffisant selon moi. Tout d'abord, la T4 est le précurseur de la T3, une hormone thyroïdienne plus active (voir p. 30). Si l'organisme a du mal à convertir la T4 en T3, on peut présenter des symptômes d'hypothyroïdie même si le taux de T4 est normal. Deuxièmement, la plage de référence indiquant un résultat normal est très large. Plusieurs de mes clients dont le test était tout à fait normal avaient pourtant dans leur sang un taux de T4 insuffisant pour eux. Enfin, ce genre de test n'indique pas le taux d'anticorps antithyroïdiens, lesquels peuvent pourtant signaler une maladie auto-immune de la thyroïde.

En conclusion, des patients ayant un problème de thyroïde ne reçoivent pas toujours un diagnostic exact même si leurs symptômes sont pourtant classiques.

⚠️ Cessez de vous brosser les dents avec un dentifrice fluoré. Le fluorure a longtemps servi de médicament antithyroïdien pour traiter l'hyperthyroïdie et il a été fréquemment utilisé à des doses inférieures au soi-disant apport optimal de 1 mg par jour. Le fluorure ayant des propriétés hormono-mimétiques de la thyrotrophine (TSH), achetez plutôt votre dentifrice dans un magasin d'alimentation naturelle. Filtrez aussi l'eau du robinet et renseignez-vous sur les effets des fluorures sur la santé humaine.

⚠️ Des facteurs associés au mode de vie peuvent avoir un impact négatif sur la thyroïde: consommation élevée d'alcool, manque de sommeil pendant de longues périodes, blessure grave, maladies et traumatismes.

TEST DE BARNES (pour évaluer le fonctionnement de la glande thyroïde)

1 Avant d'aller au lit, mettez un thermomètre buccal sur votre table de chevet afin de prendre votre température basale dès le réveil.

2 Dès le réveil, placez le thermomètre sous votre aisselle jusqu'à ce que la température s'affiche. Restez calme et immobile afin d'obtenir un résultat exact. Tout mouvement fera augmenter votre température basale (la température au réveil).

3 Notez la température et faites un point à l'endroit correspondant sur le graphique.

4 Faites ce test de préférence à la même heure chaque jour.

5 Faites ce test pendant au moins trois journées consécutives avant d'entreprendre votre programme.

6 Faites un autre test après six semaines pour voir s'il y a amélioration.

7 Votre température doit se situer entre les deux lignes vertes du graphique (entre 36,6 °C/97,9 °F et 36,8 °C/98,2 °F – la zone normale). Si ce n'est pas le cas, consultez votre médecin pour faire un prélèvement sanguin. Commencez votre programme puisqu'il vous sera bénéfique.

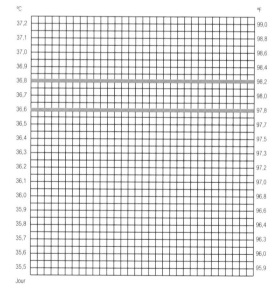

Note: Les hommes peuvent prendre leur température n'importe quel jour; les femmes devraient la prendre le matin des deuxième, troisième et quatrième jours de leurs règles.

LES FACTEURS ENVIRONNEMENTAUX RESPONSABLES

⚠️ La recherche scientifique ne cesse de démontrer les effets néfastes de l'environnement pollué. Nous sommes exposés régulièrement à un grand nombre de produits chimiques que nous avons créés, dont plusieurs sont très toxiques. On nous avise depuis longtemps que les produits chimiques industriels sont une source d'inquiétude pour la santé humaine puisqu'ils perturbent les fonctions endocrines (c'est la raison pour laquelle on les appelle «perturbateurs endocriniens»). Plusieurs études démontrent qu'une exposition à ces polluants environnementaux pourrait causer une perturbation subtile de la fonction thyroïdienne. Il semble même évident qu'une exposition à des produits chimiques synthétiques tels que le PCB (biphényle polychloré, largement utilisé dans la fabrication de solvants et de fluides isolants pour les transformateurs électriques) pourrait causer l'hypothyroïdie clinique.

Limitez votre consommation de gros poissons gras comme le thon et l'espadon et mangez des aliments biologiques le plus souvent possible. Lisez la p. 133 pour en savoir davantage sur les poissons gras et le PCB.

Que devez-vous faire?

1 Puisqu'il n'est pas facile de se débarrasser des bourrelets sous les omoplates, je vous invite à vous engager à suivre le régime et à faire les exercices malgré leurs exigences.

2 Prenez les suppléments recommandés pour rétablir votre équilibre hormonal. Prenez toutes les doses requises pendant six semaines (voir p. 114-115).

3 Suivez votre nouveau programme d'exercice. Il a été conçu pour que vous obteniez les meilleurs résultats possible (p. 116-117).

4 Évaluez votre fonction thyroïdienne en prenant votre température axillaire (sous l'aisselle). Ce test simple (voir p. 108) vous aidera à déterminer si votre glande thyroïde fonctionne bien.

RÉGIME de six semaines pour vos bourrelets sous les omoplates

Assurez-vous d'être à l'aise avec les principes du régime méditerranéen (p. 70 à 75) avant d'apporter les changements supplémentaires suivants à votre alimentation.

 INTERDIT

HUILES RANCES DE MAUVAISE QUALITÉ

Certaines huiles ordinaires vendues dans les supermarchés peuvent apparemment nuire à la santé de la glande thyroïde. Ces huiles, présentes dans les aliments préparés et traités, sont extraites à l'aide de solvants chimiques; on les stabilise et on les déodorise avec des produits chimiques synthétiques pouvant endommager la thyroïde. La source la plus commune de ces huiles est l'huile de soja, qui est aussi un aliment dit «goitrogène» (p. 106).

Il faut acheter uniquement des huiles extra vierges ou vierges pressées à froid. Favorisez surtout l'huile d'olive et conservez toutes vos huiles au réfrigérateur afin de prévenir le rancissement. Les huiles exposées au soleil ou à l'air pendant quelques jours, ou celles qui sont chauffées et réutilisées, sont les plus susceptibles de rancir (leur odeur sera étrange). Évitez-les à tout prix.

ALIMENTS GOITROGÈNES

Évitez les aliments suivants, sauf s'ils sont bien cuits.

ALIMENTS GOITROGÈNES À ÉVITER		
Arachides	Épinards	Moutarde
Brocoli	Fraises	Navets
Chou	Haricots de soja et produits	Pêches
Chou-rave	dérivés	Radis
Chou vert frisé	Millet	Rutabaga
Choux de Bruxelles		

5

passez à l'action!

110

ALIMENTS RICHES EN IODE

L'iode est un élément essentiel des hormones thyroïdiennes: la thyroxine (T4) et la triiodothyronine (T3). Les algues, particulièrement la laminaire, en sont les sources naturelles les plus abondantes et elles font partie des ingrédients de base des cuisines japonaise et coréenne. Cherchez des recettes qui contiennent de la laminaire ou empruntez un livre de cuisine japonaise à la bibliothèque afin d'essayer quelques recettes. Voilà une bonne excuse pour savourer de bons sushis et rouleaux californiens.

ALIMENTS RICHES EN SÉLÉNIUM

L'enzyme qui transforme la T4 en T3 contient du sélénium, un puissant antioxydant protecteur. Voici les principaux aliments qui en contiennent.

ALIMENTS RICHES EN SÉLÉNIUM		
Ail	Légumes	Saumon
Céréales complètes	Noix du Brésil	Thon
Foie	Oignons	Viande d'animaux nourris
Germe de blé	Poulet	au fourrage
Laminaire (algue)	Riz brun	

ALIMENTS RICHES EN TYROSINE

La tyrosine est un acide aminé présent là où l'on trouve des protéines. Elle est aussi un précurseur essentiel des hormones thyroïdiennes. Voici quelques sources.

ALIMENTS RICHES EN ACIDE AMINÉ TYROSINE		
Amandes	Graines de sésame	
Avocats	Haricots jaunes	
Graines de citrouille		

5

les bourrelets sous les omoplates

PLANIFICATION DES MENUS

Ce menu vise à vous donner un large éventail des repas que vous pouvez préparer. Il y a sept suggestions pour chaque repas, soit un menu complet pour toute la semaine. Lorsque vous serez mieux familiarisé avec le régime, vous pourrez adapter ces menus selon vos goûts. N'oubliez pas d'ajouter des algues de qualité dans votre alimentation.

J'ai aussi inclus quelques idées de goûters. Prenez-en un le matin et un l'après-midi les jours où vous serez particulièrement affamé entre les repas ou si vous manquez d'énergie.

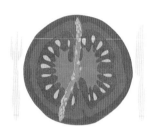

MATIN

Choisissez parmi les repas suivants:

1 Tranche de pain de seigle, un peu de margarine non hydrogénée et beurre de graines de citrouille ou de potiron

2 Yogourt nature écrémé sans sucre avec germe de blé et noix du Brésil broyées

3 Œufs, hoummos et bacon maigre

4 Gruau (porridge) d'avoine avec amandes et graines de sésame

5 Plateau de fruits frais avec amandes hachées

6 Musli de céréales complètes avec noix du Brésil

7 Frappé aux fruits frais avec germe de blé, yogourt nature écrémé sans sucre et quelques gouttes de sirop d'agave

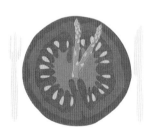

MIDI

Choisissez parmi les repas suivants:

1 Soupe aux légumes avec algues

2 Sandwich roulé avocat-thon frais et algues nori

3 Riz brun sauté avec légumes et graines de sésame (voir aliments à éviter, p. 110).

4 Viande blanche (poulet ou dinde) avec pain brun/tortilla/pita, laitue et huile d'olive extra vierge

5 Salade de tomates et concombres avec huile d'olive extra vierge, poisson frais, pignons et poivre noir

6 Riz brun et légumes sautés avec champignons et huile de sésame pressée à froid

7 Poulet grillé à l'ail et petite salade verte

SOIR

Choisissez parmi les repas suivants:

1 Saumon grillé avec légumes rôtis ou cuits au four

2 Saumon, flétan, vivaneau ou crevettes avec riz brun et aubergine

3 Salade de laitue-tomates-poivrons avec graines ou noix hachées et viande blanche maigre, cuite

4 Bifteck de bœuf nourri au fourrage avec haricots verts vapeur et salade de tomates à l'oignon

5 Thon frais grillé sur riz brun avec graines de sésame et salade verte

6 Soupe miso avec algues

7 Sashimi de saumon frais et salade japonaise de légumes hachés finement arrosée d'huile de sésame

GOÛTERS

1 Quelques noix du Brésil, graines de tournesol et amandes

2 Fruits frais: pommes, bleuets, avocats, mangues, poires, cerises, prunes, framboises, canneberges et ananas (un petit bol par jour)

BOISSONS

Un grand verre d'eau ou une tisane au lever. Buvez des tisanes chaudes pour contrer l'appétit et le besoin de stimulation orale. Buvez 6 grandes tasses de tisane ou d'eau chaude par jour.

RÈGLES SIMPLES DU RM

★ Pas de sucre

★ Faites place aux légumes

★ Beaucoup de fruits

★ Beaucoup de légumineuses

★ Poisson et fruits de mer régulièrement

★ Céréales complètes régulièrement

★ Consommation d'alcool très modérée

★ Peu de viande

★ Bons gras; ne pas se priver de gras

★ Peu de produits laitiers

★ Utilisez herbes et épices

★ Mangez des œufs

★ Savourez des noix et des graines

★ Portions normales

★ Évitez de manger seul

SUPPLÉMENTS pour les bourrelets sous les omoplates

Les suppléments naturels sont nécessaires pour équilibrer vos hormones et améliorer votre fonction thyroïdienne.

MULTIVITAMINE ET MINÉRAUX QUOTIDIENS

Prenez un supplément de multivitamine et de minéraux contenant des vitamines B et du cuivre. L'iode est aussi nécessaire à la synthèse de ces hormones (une carence en iode est souvent caractérisée par un goût métallique dans la bouche et des sécrétions muqueuses abondantes). Votre multivitamine doit contenir au moins 150 mcg d'iode par dose quotidienne, idéalement procurant 100 % de la dose recommandée par jour.

HUILE DE POISSON PURE

Prenez 3000 mg d'huile de poisson pure ou, si vous êtes végétarien, 3000 mg d'huile de lin biologique pressée à froid (capsule ou huile versée sur les aliments).

SÉLÉNIUM

Le sélénium est essentiel à une production équilibrée d'hormones thyroïdiennes. L'enzyme qui transforme l'hormone thyroïdienne T4 en T3 (une hormone plus active sur le plan physiologique) contient du sélénium. Prenez de 50 à 75 mcg de sélénium par jour. Votre multivitamine en contenant déjà, veillez à ne pas excéder 75 mcg par jour.

L-TYROSINE

La tyrosine est un acide aminé et un composé essentiel à la production des hormones thyroïdiennes; le corps doit toujours en avoir en quantité suffisante. La dépression est clairement liée à une mauvaise fonction thyroïdienne: les personnes atteintes de dépression ont souvent un faible taux de tyrosine. Je recommande une dose de 1000 mg prise trois fois par jour lorsque l'estomac est vide.

5

passez à l'action!

VITAMINE D$_3$

Cette vitamine est essentielle à une bonne fonction thyroïdienne. Je recommande une dose de 300 mcg par jour. Dites à votre médecin que vous aimeriez vérifier l'état de votre thyroïde à l'aide d'un prélèvement sanguin. Les doses requises pour corriger une carence étant plutôt élevées - 1000 mcg par jour pendant huit semaines -, une supervision médicale est obligatoire.

ZINC

Le taux de thyroxine ont tendance à être plus bas chez les personnes ayant un apport faible en zinc. Le taux de thyroxine (T4) augmente dès que l'on commence à prendre des suppléments. L'une des meilleures sources de zinc est le picolinate de zinc puisqu'il est absorbé plus facilement par l'organisme. Je recommande un apport quotidien total de 20 mg, incluant la quantité contenue dans votre multivitamine.

HERBES SOUTENANT LA FONCTION THYROÏDIENNE
BOIS DE RÉGLISSE

Le bois de réglisse contient des flavonoïdes et un composé végétal appelé glycyrrhizine. La réglisse (*Glycyrrhiza glabra*) aidera efficacement votre glande thyroïde en stimulant vos surrénales en période de stress. Achetez des capsules normalisées contenant 25 % (75 mg) de glycyrrhizine et visez une dose quotidienne de 300 mg. Ne prenez pas plus de 400 mg d'acide glycyrrhizique par jour afin d'éviter l'apparition d'hypertension.

GOMME DE GUGULON

Le gugulon (*Commiphora mukul*) est une résine collante d'un arbre proche de l'arbre à myrrhe. Les composants de cette résine soutiennent la conversion de l'hormone thyroïdienne T4 en T3. Je recommande une dose de 300 mg par jour. Prenez toujours des suppléments normalisés contenant un extrait de 10 % de guggulstérones.

1 COMPRIMÉ DE MULTI-VITAMINE	3000 MG D'HUILE DE POISSON	50 À 75 MCG DE SÉLÉNIUM	3 X 1000 MG L-TYROSINE	3 X 1000 MCG DE VITAMINE D3	20 MG DE ZINC	300 MG DE BOIS DE RÉGLISSE	300 MG DE GOMME DE GUGULON

Programme d'**EXERCICE** pour les bourrelets sous les omoplates

Vous devez rétablir votre métabolisme à un niveau idéal. Faites des efforts pour réduire votre stress et vous adonner à ce programme d'exercice qui a été conçu pour vous énergiser. Relisez les p. 76 à 81 si vous avez besoin d'encouragements pour rester fidèle à votre programme d'exercice.

Les mouvements de résistance recommandés dans votre cas sont: **RAMER, SOULEVÉ DE TERRE AVEC HALTÈRES, POSTURE «PASSER DE CHIEN TÊTE EN BAS À COBRA»** et **FLEXIONS SUR JAMBES.** Ces exercices solliciteront vos principaux muscles en plus d'augmenter votre circulation.

BUT

Faites toujours des efforts **MODÉRÉS** pendant votre séance. Utilisez le poids de votre corps ou des haltères courts légers comme résistance en répétant chaque exercice de 15 à 20 fois. Vous ferez une série de mouvements en faisant un étirement presque complet chaque fois. Contrôlez bien votre rythme et votre respiration, en bougeant et en respirant dans une proportion de 4-2 secondes (sauf pour la posture «passer de Chien tête en bas à Cobra», qui est de 4-4 secondes). Vous pourrez augmenter progressivement les répétitions ou ajouter graduellement de la résistance.

Afin de ne pas surstresser votre corps, faites 30 secondes de respiration contrôlée entre les exercices.

Faites une séance **TOUS LES DEUX JOURS,** soit **TROIS ou QUATRE** fois par semaine, en répétant la même séquence chaque fois.

EXERCICE CARDIO

Échauffez-vous avec un trampoline, si possible, sinon marchez ou courez. Faites en sorte d'élever votre fréquence cardiaque, mais jamais à un niveau extrême. Faites un effort d'intensité stable pendant 5 minutes à 70 % de votre fréquence cardiaque maximale (vous devez pouvoir tenir une conversation). Un entraînement cardio excessif peut provoquer une hausse du taux de cortisol et avoir un effet négatif sur la fonction thyroïdienne.

N'augmentez pas votre effort cardio de plus de 10 % chaque fois que vous voulez progresser et assurez-vous d'être capable de parler normalement tout en faisant vos exercices. Dans le cadre de ce programme, vous devez faire des efforts, mais toujours avec modération.

PROGRAMME D'EXERCICE POUR LES BOURRELETS SOUS LES OMOPLATES

Répétez les exercices 1 à 5 deux ou trois fois dans le même ordre		DURÉE/RÉPÉTITIONS
1 LÉGER ÉCHAUFFEMENT CARDIO (élevez votre fréquence cardiaque)	Course ou marche rythmée (ou cyclisme, aviron ou cross training)	5 minutes (intensité modérée)
2 HAUT DU CORPS 1er EXERCICE	Ramer ↓ 2 expirer ↑ 4 inspirer	15 à 20 répétitions Repos: 30 secondes
3 BAS DU CORPS 1er EXERCICE	Soulevé de terre avec haltères ↓ 4 expirer ↑ 2 inspirer	15 à 20 répétitions Repos: 30 secondes
4 HAUT DU CORPS 2e EXERCICE	Passer de Chien tête en bas à Cobra ↓ 4 expirer ↑ 4 inspirer	15 à 20 répétitions Repos: 30 secondes
5 BAS DU CORPS 2e EXERCICE	Flexions sur jambes ↓ 4 expirer ↑ 2 inspirer	15 à 20 répétitions Repos: 30 secondes

CODE

↑ ↓ = sens du mouvement

4/2 = tempo (ex.: pousser: 2 ou 4 secondes; revenir: 2 ou 4 secondes)

Inspirer/expirer = quand respirer

AUTRES ACTIVITÉS

Bougez doucement votre corps chaque jour et allez dehors dès que possible. Le yoga vous aidera à pratiquer la respiration contrôlée tout en étant en mouvement. Toute activité méditative sera aussi bénéfique.

Les **BRAS FLASQUES**

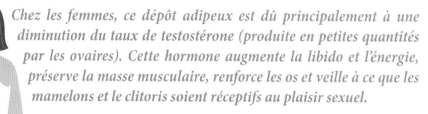

Chez les femmes, ce dépôt adipeux est dû principalement à une diminution du taux de testostérone (produite en petites quantités par les ovaires). Cette hormone augmente la libido et l'énergie, préserve la masse musculaire, renforce les os et veille à ce que les mamelons et le clitoris soient réceptifs au plaisir sexuel.

LES HABITUDES ALIMENTAIRES RESPONSABLES

⚠️ Une glycémie élevée fait baisser la production de testostérone. Il est important de couper le sucre et les glucides raffinés. Votre cure de détoxication vous ayant appris à vous priver de sucre pendant toute une semaine, vous devriez être en mesure d'y parvenir.

⚠️ Mangez plus de bons gras. Mettez à votre menu du saumon et d'autres poissons gras, de l'avocat et des graines de lin, qui sont d'excellentes sources d'acides gras essentiels (p. 72-73) contribuant à la production de la testostérone.

⚠️ On peut être mal nourri même en ingérant un surplus de calories. Nos ancêtres consommaient des aliments frais, locaux et, surtout, biologiques. Les cultivateurs ont ensuite enrichi la terre de nutriments essentiels en y ajoutant du paillis, du fumier et du compost tout en favorisant la rotation des cultures dans le but de préserver la qualité du sol et les niveaux de nutriments.

L'alimentation moderne est carencée en plusieurs nutriments pourtant essentiels à la santé et au fonctionnement hormonal. Les insecticides chimiques ont remplacé les méthodes traditionnelles aptes à détruire les organismes nuisibles. La culture intensive et le surpâturage ont déprivé le sol de nutriments précieux comme le calcium, le magnésium et le sélénium (bon pour le cœur). Le transport des aliments sur de longues distances est responsable d'une perte de nutriments. Les vitamines B et C sont les pierres angulaires de la production de testostérone; si notre alimentation n'en contient pas suffisamment, nous pouvons avoir un problème de testostérone.

LES HABITUDES DE VIE RESPONSABLES

 Le sexe est une façon simple d'élever son taux de testostérone: pendant la relation sexuelle, on observe une diminution du taux de testostérone; le corps envoie alors un signal ordonnant d'en produire avantage. Les femmes qui tombent amoureuses voient aussi leur taux de testostérone augmenter.

 Le manque de sommeil peut compromettre votre production de testostérone. Ayez un horaire de sommeil régulier puisqu'il est bon de dormir profondément aux mêmes heures chaque nuit. Un sommeil suffisant garantit une production maximale de testostérone qui est particulièrement abondante tôt le matin.

 Le stress gêne la production de testostérone tandis que la relaxation la favorise. Apprenez des techniques de respiration, de détente ou de méditation.

 Le manque d'exercice nuit aussi à la production de testostérone. Les exercices avec haltères utilisent le poids corporel pour mettre une pression importante sur les os et les muscles ce qui les incite à exiger plus d'énergie de la part des cellules et à requérir plus de testostérone pour terminer l'exercice.

 Les régimes hypocaloriques et la restriction calorique à long terme peuvent faire chuter le taux de testostérone, mais il ne faut jamais trop manger. Il est essentiel de manger moins au cours des six prochaines semaines et d'apprendre à restreindre vos portions.

LES FACTEURS ENVIRONNEMENTAUX RESPONSABLES

La flaccidité des bras est rarement causée par des facteurs environnementaux autres que les méthodes modernes de production alimentaire.

Que devez-vous faire?

1 Augmentez votre énergie et votre vitalité en suivant toutes les facettes de ce programme.

2 Sentez-vous vivant et sexy. Il n'est pas nécessaire d'être en couple; le seul fait de vous visualiser comme étant énergique et sexy portera fruit.

3 Faites des exercices avec haltères (voir p. 126-127).

4 Prenez les suppléments suggérés (p. 124-125) afin de maximiser le métabolisme de la testostérone.

RÉGIME de six semaines pour bras flasque

Ce régime, fondé sur les principes de mon régime méditerranéen, est riche en bons gras et en protéines maigres. Assurez-vous d'être parfaitement à l'aise avec ses exigences (voir p. 70 à 75) avant d'y ajouter les changements supplémentaires suivants.

INTERDIT

GLUCIDES RAFFINÉS

Au cours des six prochaines semaines, ne mangez pas:

GLUCIDES RAFFINÉS À ÉVITER		
Farine blanche (ex.: croissants, pains et gâteaux)	Bonbons	Pâtes blanches
	Riz blanc	Boissons sucrées et pétillantes
Biscuits	Pain blanc	Alcool

SUCRES VISIBLES OU CACHÉS

Voici différents sucres ou dérivés du sucre. Lisez les étiquettes et évitez les produits qui en contiennent. (Les édulcorants artificiels tels que la saccharine et l'aspartame sont néfastes et devraient aussi être éliminés.)

DIFFÉRENTES FORMES DE SUCRE		
Cassonade	Mélasse claire	Sucre (granulé ou semoule super fin)
Dextrose	Miel	
Fructose	Panocha (sucre brut mexicain)	Sucre inverti
Galactose	Sirop de glucose riche en fructose	Sucre muscovado
Glucose		Sucre roux
Lactose	Sirop de maïs	Sucre turbinado (demerara)
Malt	Sirop d'érable	Sucrose
Maltodextrine	Sirop de riz	
Maltose	Sucre cristallisé non raffiné	
Mélasse	Sucre glace, sucre en poudre	

PERMIS

BONS GRAS

Adoptez les bons gras et évitez les gras saturés d'origine animale. Huile de poisson, poisson, suppléments d'huile de poisson, huile d'olive extra vierge, graines de lin moulues et huile de lin favorisent la production de testostérone. Verser un peu d'huile d'olive extra vierge et de vinaigre balsamique sur vos légumes est une façon délicieuse d'inscrire de bons gras au menu.

TYPE DE GRAS	SOURCE ALIMENTAIRE
MONO-INSATURÉS	Huile d'olive, avocat, noix et graines
POLYINSATURÉS	Huiles végétales (ex.: carthame, maïs et tournesol), noix et graines
ACIDES GRAS OMÉGA-3	Poissons gras d'eau froide (saumon, maquereau, hareng), graines et huile de lin, noix

On trouve maintenant dans le commerce une huile contenant un mélange de gras acides oméga-3, -6 et -9. Utilisez-la comme base pour votre vinaigrette ou ajoutez-en quelques gouttes dans votre soupe.

GRAINS ENTIERS

Surveillez votre glycémie en mangeant uniquement des céréales complètes ou de grains entiers: riz brun, pâtes au blé complet et pain brun.

PROTÉINES

Mangez des protéines à chaque repas. Par exemple, au petit-déjeuner, prenez un œuf et une petite portion de gruau d'avoine (porridge) avec des graines riches en protéines. Mettez quelques noix et graines dans vos salades et des légumineuses, du tofu, de la viande blanche de poulet ou du poisson blanc dans vos soupes.

ÉDULCORANT NATUREL

Le xylitol est un édulcorant naturel dérivé du xylane, que l'on trouve dans le bouleau et d'autres arbres à bois dur, les petits fruits, la coque des amandes et les épis de maïs. Son aspect, son goût et sa texture sont similaires à ceux du sucre ordinaire, mais il n'a aucun arrière-goût et contient 40 % moins de calories. On l'utilise comme le sucre pour cuisiner ainsi que dans les boissons, les desserts et les céréales.

★ Pas de sucre

★ Faites place aux légumes

★ Beaucoup de fruits

★ Beaucoup de légumineuses

★ Poisson et fruits de mer régulièrement

★ Céréales complètes régulièrement

★ Très peu d'alcool

★ Peu de viande

★ Bons gras; ne pas se priver de gras

★ Peu de produits laitiers

★ Utilisez herbes et épices

★ Mangez des œufs

★ Savourez des noix et des graines

★ Portions normales

★ Évitez de manger seul

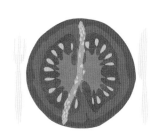

PLANIFICATION DES MENUS

Ce menu vise à vous donner un large éventail des repas que vous pouvez préparer. Il y a sept suggestions pour chaque repas, soit un menu complet pour toute la semaine. Vous pourrez éventuellement adapter ces menus selon vos goûts. Assurez-vous de prendre suffisamment de protéines, de bons gras et de blé complet (glucides) à chaque repas.

Je vous propose aussi quelques goûters au cas où vous soyez particulièrement affamé entre les repas. Prenez **UN SEUL** goûter dans la matinée et un autre dans l'après-midi en n'exagérant pas les portions.

MATIN

Choisissez parmi les repas suivants:

1 Frappé matinal

Frappé matinal

250 ml (1 tasse) de lait ou de boisson (jus) de soja

1 c. à thé (à café) de xylitol

1 banane

175 g (1 tasse) de petits fruits (mûres, framboises, fraises) frais ou surgelés

1 c. à soupe de protéines de lactosérum en poudre

1 c. à soupe d'huile contenant un mélange d'acides gras essentiels

À l'aide du mélangeur ou du robot culinaire, mélanger tous les ingrédients jusqu'à consistance lisse et boire aussitôt.

2 Œuf poché ou bouilli et saumon fumé sur toast au blé complet

3 Gruau de quinoa avec 1 c. à thé (à café) de tahini et petits fruits frais

4 Salade de fruits avec banane, figues et amandes broyées

5 Maquereau fumé et avocat sur pain de seigle

6 Yogourt nature entier sans sucre avec fruits frais hachés et noix sans sel

7 Omelette aux tomates et aux poivrons rouges

MIDI

Choisissez parmi les repas suivants:

1 Légumes grillés au four avec poisson vapeur

2 Légumes sautés avec riz brun et légumineuses

3 Pâte au blé complet avec sauce tomate aux fines herbes et salade de haricots mélangés

4 Poulet grillé avec asperges vapeur et salade verte

5 Brochette d'agneau avec brocoli vapeur et riz brun (une fois tous les 10 jours)

6 Escalope de dinde, avocat et 2 tranches de pain brun

7 Salade César avec légumes frais et œuf à la coque

SOIR

Choisissez parmi les repas suivants:

1 Poivrons farcis avec riz sauvage, feta et huile d'olive extra vierge

2 Poulet grillé sauté avec nouilles au blé complet et huile de sésame

3 Chili con carne avec ail, tomates et fines herbes fraîches

4 Bifteck de surlonge très maigre, riz brun et chou-fleur vapeur (une fois tous les 10 jours)

5 Huîtres, suivies de saumon vapeur avec légumes et riz brun

6 Omelette au brocoli, aux oignons et au feta (ou halloumi)

7 Sauté de bœuf et brocoli avec sauce ail-gingembre (une fois tous les 10 jours)

GOÛTERS

1 Tranches d'avocat (maximum: ½ avocat par jour)

2 Noix (maximum: 12 par jour)

3 Morceaux de poulet grillé

4 Figues fraîches

BOISSONS

Un grand verre d'eau ou une tisane au lever.

Buvez des tisanes chaudes pour contrer l'appétit et le besoin de stimulation orale.

Buvez 6 grandes tasses de tisane ou d'eau chaude par jour.

SUPPLÉMENTS pour les bras flasques

Je vous recommande trois suppléments qui aident à augmenter le taux de testostérone. Si vous avez du mal à trouver ces produits, demandez au responsable de votre magasin d'alimentation naturelle de les commander pour vous.

MULTIVITAMINE ET MINÉRAUX QUOTIDIENS

Prenez chaque jour un supplément multivitaminique fournissant 100 % de l'apport recommandé quotidiennement.

HUILE DE POISSON PURE

Prenez 4000 mg d'huile de poisson pure ou, si vous êtes végétarien, 4000 mg d'huile de lin biologique pressée à froid (capsule ou huile versée sur les aliments).

RACINE D'ORTIE

Utilisée correctement et bien dosée, la grande ortie (Urtica dioica) augmente le taux de testostérone dans l'organisme. En 1983, des chercheurs allemands ont identifié un constituant de la grande ortie qui se lie à la SHBG (la globuline se liant aux hormones sexuelles dans le sang, ce qui inhibe leur action). De plus, ses composés inhibent l'aromatase, une enzyme qui convertit la testostérone en œstrogène, maintenant le taux de testostérone. Prenez 2 capsules de 300 mg deux fois par jour.

TRIBULE TERRESTRE

Le tribule terrestre (*Tribulus terrestris*), également appelé croix-de-Malte, est souvent prescrit aux femmes ayant des problèmes de libido puisqu'il est reconnu pour stimuler le taux de testostérone. Achetez des capsules normalisées à 40 % de saponines et à 60 % de protodioscines. Prenez une capsule de 300 mg deux fois par jour.

NOTE IMPORTANTE

⚠ Ne prenez pas ces suppléments si vous êtes enceinte ou si vous allaitez.

⚠ Un changement de couleur de l'urine peut survenir; c'est sans danger.

⚠ Si vous prenez des médicaments, consultez d'abord votre médecin.

5

passez à l'action!

AVOINE ET GINGEMBRE

Chez la femme, les ovaires et les surrénales produisent de la testostérone. Les exigences de la vie moderne peuvent fatiguer les surrénales, ce qui a un effet sur la production de testostérone. Ce phénomène est accentué chez celles qui approchent ou qui entrent dans la période de ménopause alors que la production ovarienne ralentit. Les surrénales fatiguées doivent prendre le relais, ce qui peut causer une chute du taux de testostérone. Heureusement, les plantes adaptogènes aident à rétablir la fonction surrénale et à restaurer l'équilibre hormonal. Au premier rang, on trouve le ginseng (*Panax ginseng*) et l'avoine cultivée (*Avena sativa*). J'aime particulièrement le ginsavena (le nom peut varier selon les régions), une teinture de plante fraîche à base de ginseng et d'avoine. Je recommande 35 gouttes dans l'eau avant les repas du matin et du midi. N'en prenez pas l'après-midi puisque ce produit énergise le corps, ce qui pourrait gêner votre sommeil.

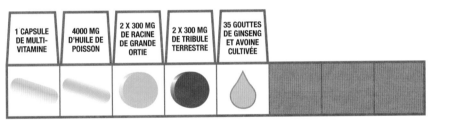

Programme d'**EXERCICE** pour les bras

Ce programme est conçu pour sculpter votre corps, développer vos muscles, vous détendre et réduire votre stress. Combiné aux changements alimentaires prescrits, il offre des résultats surprenants. Relisez les p. 76 à 81 si vous avez besoin d'encouragements.

Les mouvements de résistance recommandés dans votre cas sont: **RAMER, FLEXIONS SUR JAMBES ET DÉVELOPPÉS, SOULEVÉ DE TERRE** et **PECTORAUX PAPILLON.** Ces exercices solliciteront presque tous vos muscles.

BUT

Vous devez apprendre à lever une charge lourde de façon adéquate. Reposez-vous pendant 60 secondes entre les mouvements afin de pouvoir consacrer le **MAXIMUM** d'effort à chacun des exercices. Faites de 8 à 12 répétitions en augmentant votre effort chaque fois. Pour la première séquence, donnez environ 80 % de votre effort maximal lors des 12 répétitions. Pour les deuxième et troisième séquences, faites de 8 à 10 répétitions en travaillant à 90 % de votre capacité maximale.

Faites une grande variété de mouvements afin qu'une plus grande partie de vos muscles soient sollicitée. Contrôlez bien votre rythme et votre respiration, en bougeant et en respirant dans une proportion de 3-1 secondes.

En développant ainsi vos muscles, votre force augmentera, ce qui vous permettra d'augmenter progressivement le poids des haltères. Vous ne développerez pas un corps de culturiste; ce programme vise simplement à tonifier votre corps et à réduire les dépôts adipeux de vos bras.

Accordez-vous **DEUX JOURS** de récupération entre les séances pour un maximum de **TROIS** séances par semaine.

EXERCICE CARDIO

Terminez chaque séance par un exercice cardio court mais intense suivi d'une période de repos (2 minutes de cardio, puis 2 minutes de repos). L'intensité de l'exercice doit respecter votre condition physique. Si vous n'êtes pas très en forme, faites une marche rapide ou montez les escaliers; si vous êtes au gym, utilisez la machine à ramer ou le vélo elliptique en vous rapprochant chaque fois du maximum d'effort que vous êtes capable de faire. Vous pourrez graduellement augmenter la résistance et l'effort.

AUTRES ACTIVITÉS

Prenez toujours de bonnes nuits de sommeil et faites des activités de détente: marche, yoga ou natation en douceur.

PROGRAMME D'EXERCICE POUR LES BRAS

Faites les exercices 2 à 6 trois fois dans le même ordre		DURÉE/RÉPÉTITIONS
1 LÉGER ÉCHAUFFEMENT CARDIO (élevez votre fréquence cardiaque)	Course ou marche rythmée (ou cyclisme, aviron ou cross training)	3 minutes
2 HAUT DU CORPS 1er EXERCICE	Ramer ↓ 3 inspirer ↑ 1 expirer	8 à 12 répétitions Repos: 60 secondes
3 BAS DU CORPS 1er EXERCICE	Flexions sur jambes et développés ↓ 3 inspirer ↑ 1 expirer	8 à 12 répétitions Repos: 60 secondes
4 HAUT DU CORPS 2e EXERCICE	Soulevé de terre ↓ 3 inspirer ↑ 1 expirer	8 à 12 répétitions Repos: 60 secondes
5 BAS DU CORPS 2e EXERCICE	Pectoraux papillon ↓ 3 inspirer ↑ 1 expirer	8 à 12 répétitions Repos: 60 secondes
6 EXERCICE CARDIO	Course ou marche rythmée (ou cyclisme, aviron ou cross training)	2 minutes à 80-90 % de votre fréquence cardiaque maximale Repos: 2 minutes

CODE

↑ ↓ = sens du mouvement

3/2 = tempo (ex.: pousser: 1 seconde; revenir: 3 secondes)

Inspirer/expirer = quand respirer

Les bourrelets aux **CUISSES ET AUX FESSES**

Un excès d'œstrogène peut créer des accumulations de graisse inappropriées dans vos fesses et vos cuisses. Il ne faut pas non plus négliger le rôle des récepteurs α2 dans ce phénomène. (Relisez les p. 18, 20 et 21 au besoin.) Les pages suivantes abordent les autres facteurs pouvant influencer l'apparition de ces dépôts adipeux et vous indiquent comment les éviter.

LES HABITUDES ALIMENTAIRES RESPONSABLES

Plusieurs facteurs d'ordre nutritionnel influencent l'apparition de dépôts adipeux des fesses et des cuisses. Certains ont été identifiés lors d'études scientifiques tandis que j'ai pu en observer d'autres en clinique.

⚠️ Les fruits, légumes, légumineuses et grains entiers sont des sources abondantes de fibres végétales, réputées pour favoriser l'excrétion de l'œstrogène. Malheureusement, notre alimentation moderne accorde une place plus importante aux aliments à base de farine blanche raffinée qu'aux fruits et légumes.

⚠️ L'un des rôles clés du foie est de métaboliser l'œstrogène et de le retirer de la circulation. Toutefois, l'alcool, les drogues récréatives et pharmaceutiques, les viandes grasses et certaines boissons sont surchargées d'agents de conservation et de colorants pouvant entraver les efforts effectués par le foie pour éliminer l'excès d'œstrogène provenant des aliments et de l'environnement.

⚠️ Les aliments auxquels vous êtes allergique ou intolérant peuvent aussi être responsables de votre problème, de même qu'une consommation excessive d'alcool et du fait de boire de l'eau dans une bouteille de plastique (voir p. 131).

LES HABITUDES DE VIE RESPONSABLES

⚠️ Selon moi, la pilule contraceptive et l'hormonothérapie substitutive à haute teneur en œstrogène figurent parmi les principaux suspects. Si vous prenez une pilule contenant uniquement de l'œstrogène, demandez à votre médecin si vous pouvez changer pour une pilule contenant de faibles doses d'œstrogène et de progestérone ou uniquement de la progestérone. Envisagez d'autres moyens contraceptifs naturels.

5

passez à l'action!

Plusieurs cosmétiques contiennent des produits chimiques qui sont des toxines reproductives. Vérifiez les produits que vous utilisez chaque jour et évitez ceux qui renferment des parabènes. Achetez vos cosmétiques dans les magasins d'alimentation naturelle et les magasins de produits biologiques afin d'éviter les produits néfastes.

 La consommation d'alcool et de cigarettes nuit à la production et à l'équilibre des hormones. Il est essentiel de réduire ou de cesser d'en consommer pour bien réussir ce programme.

Le stress permanent sabote nos efforts pour atteindre l'harmonie hormonale. Nous avons tous besoin de le réduire afin d'améliorer notre qualité de vie.

LES FACTEURS ENVIRONNEMENTAUX RESPONSABLES

Les polluants environnementaux agissent directement sur la distribution de la graisse dans notre corps. Les xénoestrogènes peuvent reproduire ou modifier l'action des hormones produites par nos cellules. Ils sont présents dans des produits courants (contenants de plastique, boîtes de conserve, détergents, ignifuges, aliments, jouets, cosmétiques et pesticides). Ils sont liposolubles, non biodégradables, dangereusement toxiques en plus de contaminer nos aliments. On trouve des xénoestrogènes dans plusieurs substances naturelles et artificielles: produits pharmaceutiques, dioxines, biphényles polychlorés (PCB), pesticides et plastifiants (ex.: bisphénol A), etc. Ces substances nuisent toutes au système endocrinien.

Que devez-vous faire?

1 Réduisez les œstrogènes: vérifiez vos contraceptifs, cosmétiques et produits de beauté; évitez la cigarette, l'alcool et le stress.

2 Prenez conscience des effets néfastes des xénoestrogènes. Éliminez tous les aliments qui en contiennent et mangez beaucoup de légumes de la famille des crucifères afin de modifier votre métabolisme œstrogénique.

3 Suivez un nouveau programme d'exercice. Lisez les p. 138-139 pour en savoir plus.

4 Prenez des suppléments aptes à maximiser votre métabolisme œstrogénique et votre perte de poids. J'ai essayé et testé tous les produits que je suggère aux p. 136 et 137.

RÉGIME de six semaines pour vos cuisses et vos fesses

Pour réduire les amas de gras dans vos cuisses et vos fesses, vous devez éviter votre exposition aux xénoestrogènes et manger beaucoup de légumes de la famille des crucifères afin de modifier votre métabolisme œstrogénique.

INTERDIT

ALIMENTS TRAITÉS

Les aliments traités riches en sucre et en gras favorisent le chaos hormonal. Éliminez la farine blanche de votre alimentation et optez plutôt pour les céréales, les pâtes et les pains complets.

CAFÉ

Le café est interdit puisque des études démontrent que deux tasses de café par jour peuvent faire augmenter le taux d'œstrogène (voir p. 157).

ALIMENTS CRÉANT FATIGUE OU BALLONNEMENTS

Certains aliments qui ont un effet néfaste sur votre corps sont sans doute des allergènes communs; les allergènes déséquilibrent les hormones. Parmi les plus communs: produits laitiers (de la vache), pain blanc, pâtes alimentaires et sucre.

XÉNOESTROGÈNES

★ Plusieurs hormones utilisées dans l'agriculture moderne incluent les xénoestrogènes. Achetez de la viande et de la volaille biologiques. S'ils sont trop chers, optez pour la viande et les produits laitiers d'animaux nourris exclusivement au fourrage.

★ Ne chauffez aucun aliment dans un bol de plastique ou dans un plat couvert de pellicule plastique au micro-ondes. Les produits chimiques contenus dans le plastique chauffé s'infiltrent dans les aliments comme le bisphénol A (BPA) et les phtalates et on dit que les aliments gras, comme la viande et le fromage, sont particulièrement susceptibles d'être contaminés. Utilisez plutôt un bol en verre ou en céramique, ou chauffez vos aliments sur la cuisinière, dans une casserole en acier inoxydable.

★ Ne consommez aucun produit contenant du hydroxyanisol butylé (B.H.A.), un xénoestrogène courant utilisé pour la conservation des aliments traités.

★ Évitez les conserves. Il appert que plus de 85 % des boîtes sont tapissées de bisphénol A

(BPA), un xénoestrogène, afin de réduire le goût métallique souvent présent. Exposé à la chaleur (pasteurisation) ou à un produit acide, le BPA infiltre les aliments. Il est aussi présent dans plusieurs biberons en plastique et contenants servant à conserver les aliments.

★ La plupart des bouteilles de plastique renferment du bisphénol A (BPA). Évitez-les. Les produits chimiques xénoestrogéniques présents dans les bouteilles de plastique infiltrent les boissons exposés au soleil ou à la chaleur.

★ Les usines d'eau potable n'éliminant pas toujours les polluants hormonaux, des écoulements de produits pharmaceutiques ou issus de l'agriculture peuvent se retrouver dans l'eau du robinet. Bien que coûteux, les systèmes d'osmose inversée ou de filtration au charbon actif sont efficaces pour éliminer les traces de bisphénol A (BPA) et autres éléments néfastes dans l'eau du robinet.

★ Les poêles antiadhésives étant une source potentielle de xénoestrogènes, utilisez plutôt des ustensiles en acier inoxydable ou en fonte. Enduisez-les d'une fine couche d'huile d'olive pour empêcher les aliments de coller. Évitez les casseroles en aluminium: ce métal pourrait contribuer au développement de la maladie d'Alzheimer.

★ Évitez les plastiques dans la cuisine, surtout les mous qui renferment des composants considérés comme étant des xénoestrogènes. Conservez vos aliments dans des contenants en verre ou en céramique.

★ Utilisez de la pellicule plastique ne contenant pas de DEHA et remplacez la pellicule qui recouvre les viandes et aliments crus achetés à l'épicerie.

★ Évitez aussi:
★ Les biphényles polychlorés (PCB) dans les peintures et les huiles. Utilisez des peintures naturelles.
★ Tous les insecticides, pesticides et produits chimiques pour l'entretien de la pelouse. Optez pour des produits biologiques.
★ Les crèmes solaires contenant des xénoestrogènes 4-MBC. Utilisez des produits solaires naturels et sans produits chimiques.
★ Les crèmes, lotions, shampooings et produits pour le bain contenant des parabènes.
★ Les shampooings, colliers et produits antiparasitaires synthétiques destinés aux animaux.
★ Les produits nettoyants contenant des xénoestrogènes, particulièrement les détergents et assouplisseurs, puisque les résidus laissés sur les vêtements et serviettes entrent en contact avec la peau.
★ Les produits pour éliminer les mauvaises odeurs et chasser les insectes.

FOCUS ON FRESH FRUIT AND VEGETABLES

Consommez davantage de fruits et légumes de saison biologiques, riches en fibres et en phytonutriments. Mangez au moins deux fruits frais et quatre légumes frais par jour (évitez les conserves et les produits moins frais). Les légumes biologiques surgelés conviennent, mais faites l'effort de manger des fruits frais. Mangez vos légumes crus ou cuits légèrement à la vapeur. Une cuisson prolongée à feu élevé tue les nutriments. Lavez bien les produits frais afin d'éliminer tous leurs contaminants.

LES CRUCIFÈRES

Brocoli, chou-fleur, chou de Bruxelles, chou vert frisé, chou cavalier, rutabaga et feuilles de moutarde possèdent des phytonutriments uniques aptes à modifier la façon dont notre corps utilise l'œstrogène. Prenez-en trois portions par jour. Ils contiennent du diindolylméthane (DIM), lequel favorise un métabolisme bénéfique des œstrogènes. Le fait de mastiquer des légumes crucifères crus ou peu cuits active des enzymes végétaux qui permettent au DIM de pénétrer dans notre organisme. Pour en profiter au maximum pendant votre programme, vous devriez consommer d'énormes quantités de légumes crucifères chaque jour; je vous recommande donc de prendre un supplément alimentaire de DIM pendant toute la durée de votre programme (p. 136).

LES FIBRES

Les fruits, légumes, légumineuses et grains entiers renferment beaucoup de fibres végétales qui favorisent l'excrétion de l'œstrogène et l'empêchent de retourner dans la circulation.

LES VIANDES ET LES ŒUFS BIOLOGIQUES

Si possible, achetez des viandes et des œufs biologiques; ils ne contiennent pas de déchets hormonaux (ex.: œstrogènes de synthèse).

LES PROBIOTIQUES

Les bonnes bactéries contrent la dominance de l'œstrogène à travers le tractus gastro-intestinal. On les trouve dans le yogourt de qualité (évitez le yogourt sucré) et les capsules de kéfir (de marque reconnue garantissant que chaque capsule contient plus de deux milliards de bactéries).

passez à l'action!

5

MANGEZ BEAUCOUP DE POISSON

Les grands poissons gras prédateurs, comme le thon et l'espadon, peuvent être contaminés par le mercure et les biphényles polychlorés (PCB), des xénoestrogènes qui polluent les océans (voir encadré au bas de la page). Les poissons gras plus petits occupent un rang moins élevé dans la chaîne alimentaire. Pendant le régime, mangez davantage de poisson blanc que de poisson gras. Si vous les aimez, n'en mangez que deux fois par mois. Pour avoir un apport complet en acides gras oméga-3 (poisson et graines de lin), lisez les p. 136 et 137.

CHOISSISSEZ PARMI LES POISSONS SUIVANTS	
POISSONS GRAS	Anchois, blanchaille, espadon (avec modération), hareng fumé et salé, hareng saur, hoplostète orange, maquereau, sardine, saumon, thon frais (avec modération), truite
POISSONS BLANCS	Bar commun, églefin, goberge, grande castagnole, makaire, meunier noir, morue, plie, requin, rouge-barbet, sébaste, sole, turbot, vivaneau

LES PCB

Les biphényles polychlorés (PCB) sont des produits chimiques qui étaient largement utilisés dans la composition de l'équipement électrique et pour les transformations industrielles jusqu'à ce que des études prouvent qu'ils représentaient un danger pour les êtres humains, les animaux sauvages et la nature. Ils sont maintenant bannis, mais la contamination est toujours présente dans notre environnement à cause d'une destruction mal gérée de ces produits et de leurs dérivés.

Par exemple, les molécules des PCB peuvent se lier aux sédiments au fond des rivières et être absorbées par les micro-organismes; les petits poissons qui les consomment retiennent les PCB dans leur chair. Leurs prédateurs sont contaminés à leur tour, puis les oiseaux et les humains. Les niveaux de concentration en PCB peuvent être très élevés chez les principaux prédateurs, dont l'être humain, l'espadon et le touladi.

RÈGLES SIMPLES DU RM

★ Pas de sucre
★ Faites place aux légumes
★ Beaucoup de fruits
★ Beaucoup de légumineuses
★ Poisson et fruits de mer régulièrement
★ Céréales complètes régulièrement
★ Consommation d'alcool très modérée
★ Peu de viande
★ Bons gras; ne pas se priver de gras
★ Peu de produits laitiers
★ Utilisez herbes et épices
★ Mangez des œufs
★ Savourez des noix et des graines
★ Portions normales
★ Évitez de manger seul

PLANIFICATION DES MENUS

Ce menu vise à vous donner un large éventail des repas que vous pouvez préparer en respectant les règles simples du régime méditerranéen (RM) énumérées dans l'encadré de gauche. Il y a sept suggestions pour chaque repas, soit un menu complet pour toute la semaine. Vous pourrez éventuellement adapter ces menus en veillant à manger chaque jour trois portions de légumes crucifères cuits légèrement à la vapeur. Rehaussez-les au goût d'huile d'olive extra vierge, de vinaigre balsamique ou de jus de citron. Si vous trouvez difficile de prendre un repas chaud le midi sur les lieux de votre travail, permutez vos repas du midi et du soir.

J'ai aussi inclus quelques idées de goûters. Prenez-en **UN** le matin et **UN** l'après-midi les jours où vous serez particulièrement affamé entre les repas ou si vous manquez d'énergie.

MATIN

Choisissez parmi les repas suivants:

1 Œufs au goût (pas de friture) avec bagel ou toast de farine complète et un peu d'huile d'olive extra vierge

2 Sandwich roulé avec poivrons, tomate hachée, épinards, feta faible en gras et un peu d'huile d'olive extra vierge

3 Fruits de saison avec noix de cajou broyées, amandes, pignons et une grosse cuillerée de yogourt nature écrémé sans sucre

4 Pomme au four avec cannelle et yogourt nature écrémé sans sucre

5 Gruau (porridge) d'avoine avec pomme râpée et pignons

6 Œufs à la coque avec tranche de pain de seigle grillée

7 Tranches de concombre, olives, fromage blanc (ex.: halloumi, feta, cottage ou chèvre), basilic frais et pita au blé complet

MIDI

Choisissez parmi les repas suivants:

1 Poulet ou poisson blanc grillé avec légumes variés (surtout des crucifères)

2 Salade de légumes verts feuillus avec tomates, avocat, pignons grillés et un peu d'huile d'olive extra vierge

3 Sauté de riz brun et légumes contenant au moins un crucifère

4 Pâtes au blé complet avec sauce aux tomates fraîches et aux olives

5 Soupe de légumineuses et salade composée

6 Couscous au blé complet et légumes légèrement sautés

7 Soupe de brocoli avec graines et tranche de pain au blé complet

SOIR

Choisissez parmi les repas suivants:

1 Crucifères variés cuits légèrement à la vapeur, avec huile d'olive et vinaigre de cidre ou balsamique

Plus **UN** des choix suivants:

★ Soupe de légumineuses aux crucifères

★ Soupe de courge musquée

★ Ratatouille de légumes au millet

★ Pain au blé complet, hoummos, olives et grosse salade colorée

★ Soupe de lentilles aux herbes fraîches

★ Chou-fleur rôti au cari avec riz brun

★ Choux de Bruxelles sautés avec pacanes, gingembre frais et échalotes

GOÛTERS

1 Quelques noix crues fraîches

2 Tranches de tomate fraîche assaisonnées avec un peu d'huile d'olive extra vierge

3 Bouillon de légumes

BOISSONS

Buvez des tisanes chaudes pour contrer l'appétit et le besoin de stimulation orale. Buvez 6 grandes tasses de tisane par jour. Vous pouvez remplacer les tisanes par de l'eau chaude.

SUPPLÉMENTS pour les bourrelets aux cuisses et aux fesses

Pour de meilleurs résultats, prenez tous les suppléments mentionnés.

MULTIVITAMINES ET MINÉRAUX QUOTIDIENS

Prenez un supplément de multivitamine et de minéraux contenant au moins 50 mg de chacune des vitamines du groupe B (mais 400 mcg de B_{12}) et 200 UI de vitamine E; elles favorisent la détoxication des œstrogènes. Choisissez une multivitamine procurant 100 % de la dose recommandée par jour.

HUILE DE POISSON PURE

Prenez 3000 mg d'huile de poisson pure chaque jour ou, si vous êtes végétarien, 3000 mg d'huile de lin biologique pressée à froid (en capsule ou sur les aliments).

DIM

Le corps fractionne l'œstrogène en «bons» et en «mauvais» dérivés de l'œstrogène (métabolites). Le diindolylméthane (DIM) est un composé naturel présent dans les crucifères et favorise une fabrication plus efficace d'œstrogène. Il promeut le bon œstrogène en réduisant les taux des métabolites hydroxy-16 dangereux et en augmentant la formation d'hydroxy-2 (bons métabolites) qui procurent plusieurs bienfaits pour la santé du cœur et du cerveau en plus d'avoir une action antioxydante. L'obésité et l'exposition aux produits chimiques environnementaux favorisent la production de métabolites néfastes. Je recommande une dose quotidienne de 200 mg de DIM.

THÉ VERT

Le thé vert est une source importante de phytochimiques (catéchines) et contient peu de caféine. Les catéchines et la caféine augmentent le métabolisme des acides gras. Absorbés simultanément – dans une tasse de thé vert -, ils ont un effet additif plus grand que si on prenait l'une ou l'autre de ces substances seule. Si l'on prend du thé vert pendant une durée d'environ 12 semaines, on peut observer une perte ou un maintien du poids après avoir suivi un régime. Buvez-en quelques tasses par jour sans ajouter de lait ni de sucre.

VITEX AGNUS CASTUS

Un déséquilibre de l'œstrogène et de la progestérone peut causer le syndrome prémenstruel. Si vous éprouvez les symptômes suivants – des signes de la dominance d'œstrogènes -, prenez du gattilier (*Vitex agnus castus*) afin que votre corps produise plus de progestérone:

- ★ Sensibilité des seins
- ★ Rétention d'eau
- ★ Irritabilité
- ★ Changements d'humeur
- ★ Règles douloureuses et abondantes

Prenez ce produit sous forme de teinture, un extrait liquide composé d'une partie de plante pour deux d'alcool. Prenez chaque matin une dose de ½ c. à thé (à café).

CALCIUM D-GLUTARATE

Cette substance naturelle est présente dans plusieurs fruits et légumes. L'œstrogène est métabolisé dans le foie par l'acide glucuronique grâce au processus de glucuronidation. Il est ensuite excrété par la bile à moins qu'une enzyme intestinale ne vienne casser les liaisons œstrogène/acide glucuronique, permettant ainsi la réabsorption de l'œstrogène. Le calcium D-glutarate inhibe cette enzyme, permettant au corps d'excréter l'œstrogène avant qu'il soit réabsorbé et réutilisé. Commencer avec une dose de 1500 mg et l'augmenter jusqu'à 2000 mg sur une période de deux semaines.

SUPPLÉMENT FACULTATIF
ISOFLAVONES

Ce sont des flavonoïdes présents dans les haricots de soja, le trèfle rouge, le thé vert, les lentilles et autres légumineuses. La génistéine et la daidzéine (dans les haricots de soja) sont des inhibiteurs de l'aromatase qui aident à diminuer les concentration d'œstrogène dans l'organisme; le corps en produit moins et maintient un taux de testostérone plus élevé. Prenez un supplément fournissant de 10 à 20 mg d'isoflavones par jour. Comme il s'agit d'une faible dose, vous devrez probablement séparer le comprimé pour avoir la bonne dose. Achetez un produit sans organismes transgéniques (le soja génétiquement modifié est proscrit).

1 COMPRIMÉ DE MULTI-VITAMINE	3000 MG D'HUILE DE POISSON	200 MG DE DIM	QUELQUES TASSES DE THÉ VERT PAR JOUR	½ C. À THÉ (À CAFÉ) DE *VITEX AGNUS CASTUS*	1500 À 2000 DE CALCIUM D-GLUTARATE	10 À 20 MG D'ISOFLA-VONES

Programme d'**EXERCICE** pour les fesses et les cuisses

L'exercice est très important. Le programme proposé fera travailler tous vos muscles et vous ressentirez un véritable sentiment de bien-être après quelques séances seulement. Relisez les p. 76 à 81 si vous avez besoin d'encouragements pour rester fidèle à votre programme d'exercice.

Vous ferez travailler tous les gros muscles du haut et du bas du corps afin d'obtenir une réponse métabolique maximale. Vos quatre mouvements de résistance sont: **AMENER AU SOL, FENTES, DÉVELOPPÉ COUCHÉS AVEC HALTÈRES** et **FLEXIONS SUR JAMBES ÉCARTÉES** (p. 78 à 80). Vous ne surdévelopperez pas cette partie de votre corps: contrairement à la graisse, les muscles sont extrêmement compacts. De plus, les femmes n'ont pas nécessairement un taux de testostérone assez élevé pour développer leur masse musculaire de façon significative.

BUT

Faites vos séances à **INTENSITÉ ÉLEVÉE** et utilisez des haltères modérément lourds pour les mouvements du haut et du bas du corps. Travaillez à 80-90 % de votre effort maximal. Avec le temps, vous augmenterez la grosseur des haltères en travaillant toujours à 80-90 % de votre effort maximal.

Les femmes répondant généralement mieux que les hommes aux répétitions, faites chaque mouvement de résistance de 10 à 15 fois. Contrôlez votre respiration: inspirez pendant 3 secondes et expirez pendant 2 secondes. Répétez les exercices 2 à 6 **TROIS** fois dans le même ordre. Faites une séance **TOUS LES DEUX JOURS,** soit **TROIS ou QUATRE** fois par semaine.

EXERCICE CARDIO

Marchez, courez, utilisez votre bicyclette, la machine à ramer ou le vélo elliptique. L'exercice cardio excessif stresse votre corps et favorise le stockage de la graisse. Respectez les limites de votre programme.

AUTRES ACTIVITÉS

En plus de ces exercices, demeurez actif et détendez-vous en méditant et faisant des respirations profondes.

5

passez à l'action!

PROGRAMME D'EXERCICE POUR LES FESSES ET LES CUISSES

Faites les exercices 2 à 6 trois fois dans le même ordre		DURÉE/RÉPÉTITIONS
1 LÉGER ÉCHAUFFEMENT CARDIO (élevez votre fréquence cardiaque)	Course ou marche rythmée (ou cyclisme, aviron ou cross training)	3 minutes
2 HAUT DU CORPS 1er EXERCICE	Amener au sol ↓ 2 expirer ↑ 3 inspirer	10 à 15 répétitions Repos: 60 secondes
3 BAS DU CORPS 1er EXERCICE	Fente ↓ 3 inspirer ↑ 2 expirer	10 à 15 répétitions Repos: 60 secondes
4 HAUT DU CORPS 2e EXERCICE	Développé couché avec haltères ↓ 3 inspirer ↑ 2 expirer	10 à 15 répétitions Repos: 60 secondes
5 BAS DU CORPS 2e EXERCICE	Flexions sur jambes écartées ↓ 3 inspirer ↑ 2 expirer	10 à 15 répétitions Repos: 60 secondes
6 EXERCICE CARDIO	Course ou marche rythmée (ou cyclisme, aviron ou cross training)	3 minutes à 70-90 % de votre fréquence cardiaque maximale Repos: 60 secondes

CODE

↑ ↓ = sens du mouvement

3/2 = tempo (ex.: pousser: 3 secondes; revenir: 2 secondes)

Inspirer/expirer = quand respirer

LES GROS SEINS (hommes)

Si vous avez de gros seins, vous avez probablement un taux d'œstrogène trop élevé et un taux de testostérone trop faible. Vous avez peut-être aussi un taux trop élevé en aromatase, une enzyme responsable de la conversion de la testostérone en œstrogène.

LES HABITUDES ALIMENTAIRES RESPONSABLES

 Les légumes de la famille des crucifères fournissent des phytonutriments uniques qui ont la capacité de transformer les œstrogènes dangereux en formes plus bénignes. Mettez à votre menu brocoli, choufleur, choux de Bruxelles, navets, chou vert frisé, chou vert et feuilles de moutarde.

 Aimez-vous la bière? Le houblon favorise la production d'œstrogène chez l'homme. Prenez plutôt du vin ou, mieux encore, laissez tomber l'alcool pendant un an et vos seins retrouveront une apparence normale.

 Mangez-vous souvent trop? Le contrôle des portions est essentiel. Si vous mangez et buvez comme un ado en croissance, **ARRÊTEZ** maintenant.

 Les xénoestrogènes sont des chimiques artificiels pouvant reproduire ou modifier l'action des hormones produites par nos cellules (avec des conséquences potentiellement féminisantes). Achetez un filtre de qualité pour les éliminer de votre robinet.

LES HABITUDES DE VIE RESPONSABLES

 Soyez plus audacieux et dépensez-vous physiquement. Les hommes ont besoin de relever des défis sur le plan physique. Faites une longue marche d'une journée, escaladez une montagne, traversez une région à vélo, partez à la découverte d'un glacier. Oui, l'aventure génère de la testostérone!

 La testostérone est convertie en œstrogène dans les parties adipeuses du corps. Plus on est gros, plus on produit d'œstrogène. Faites de l'exercice et de la musculation, renoncez aux boissons et aux aliments vides, mangez moins.

LES FACTEURS ENVIRONNEMENTAUX RESPONSABLES

⚠️ Chez certains hommes, l'excès d'œstrogène est dû aux xénoestrogènes, des molécules qui imitent l'action naturelle de l'œstrogène. Ces produits chimiques traversent facilement la peau et sont présents dans des produits courants (contenant de plastique, boîtes de conserve, détergents, ignifuges, aliments, jouets, cosmétiques et pesticides). Ils sont liposolubles, non biodégradables et dangereusement toxiques.

On en trouve dans plusieurs substances naturelles et artificielles : produits pharmaceutiques, dioxines, biphényles polychlorés (PCB), pesticides et plastifiants (ex. : bisphénol A), etc. qui nuisent toutes au système endocrinien.

Lisez les p. 130-131 pour savoir comment les exclure de votre environnement. Évitez les produits qui en contiennent et collez la liste sur votre réfrigérateur afin de les garder en mémoire.

⚠️ Le stress nuit à l'équilibre hormonal puisque l'épuisement physique incite le corps à produire du cortisol plutôt que de la testostérone. Mettez-vous au lit tôt et levez-vous en même temps que le soleil. Si vous faites suffisamment d'exercice tout au long de la semaine, votre sommeil s'en trouvera amélioré. Éteignez toutes les lumières et débranchez tous les appareils électriques dans votre chambre.

Que devez-vous faire?

1 Éliminez les xénoestrogènes de votre vie.

2 Améliorez vos habitudes alimentaires. Suivez rigoureusement votre régime de six semaines et mangez beaucoup de légumes crucifères.

3 Utilisez vos muscles et faites de l'entraînement musculaire avec des haltères pour augmenter votre production de testostérone. Lisez les pages 148 et 149 pour en savoir davantage.

4 Devenez un adepte de l'aventure même si vous avez peur. Vous vous sentirez fort, viril et en pleine forme avant même d'avoir relevé complètement votre défi.

RÉGIME de six semaines pour les gros seins

Plutôt que le régime méditerranéen, je vous suggère plutôt le régime paléolithique, celui qu'avaient nos ancêtres il y a deux millions d'années. Je ne recommande généralement pas de manger de la viande rouge pendant de longues périodes, mais faites-le au cours des six semaines de votre programme puisque ce régime hautement protéiné a été conçu pour stimuler votre production de testostérone.

LES RÈGLES SONT SIMPLES:

★ Mangez seulement lorsque vous avez faim plutôt qu'à heures fixes.

★ Mangez des viandes maigres en provenance d'animaux nourris au fourrage, du poisson frais, des fruits, des légumes verts feuillus et beaucoup de légumes. À vous de choisir! Mais où prendre les glucides nécessaires à votre programme d'exercice? Les légumes contiennent des glucides. Prenez des carottes et quelques noix avant et après votre séance d'entraînement. Évitez les boissons sucrées et protéinées vendues au gym.

★ Achetez des aliments biologiques pour éviter les produits chimiques de l'agriculture moderne.

★ Mangez de bons gras et des acides gras essentiels (oméga-3 et oméga-6). Notre alimentation comble habituellement nos besoins en oméga-6. Concentrez-vous plutôt sur les oméga-3: graines de lin, légumes verts feuillus, poissons d'eaux froides (hareng, sardine, saumon, flétan, germon, touladi, etc.). Certains de ces poissons étant toutefois contaminés par des polluants chimiques, prenez des suppléments d'huile de poisson de qualité au lieu de manger du poisson en trop grande quantité. Prenez aussi des huiles végétales (d'avocat, de noix de coco ou d'olive extra vierge) et limitez votre consommation de beurre, de crème et de viandes grasses.

★ Ajoutez beaucoup de fines herbes et d'épices à vos plats afin qu'ils ne soient pas trop fades. Ils renferment de puissants antioxydants, énergisants et protecteurs.

★ Surveillez vos portions. Mangez les deux tiers de la quantité que vous avez l'habitude de consommer normalement.

★ Aliments interdits: céréales, produits laitiers, légumineuses, pommes de terre et patates douces, sucre, sel et tous les aliments traités ou vides. Les xénoestrogènes doivent aussi être bannis (p. 130-131).

ALIMENTS FAVORISANT LES HORMONES BRÛLEUSES DE GRAISSE

L'hormone de croissance (hGH) a la capacité de brûler les graisses. Son action décroît après l'âge de 30 ans alors que les dépôts adipeux commencent à apparaître. Des études démontrent que la hGH est stimulée par plusieurs acides aminés (protéines), l'arginine, la glycine et le tryptophane. Au cours des six prochaines semaines, mangez de grandes quantités de ces aliments riches en ces trois acides aminés.

ALIMENTS RICHES EN ACIDES AMINÉS	
Amandes	Noix
Bleuets	Noix de coco
Champignons	Noix du Brésil
Courges d'hiver	Oranges
Graines de citrouille	Pacanes
Graines de sésame	Pignons
Noisettes	Raisins

Les noix et les graines doivent être crues et germées. Faites-les tremper dans l'eau chaude pendant 24 heures, puis rincez-les et égouttez-les. Ce sera suffisant pour qu'elles deviennent des aliments «vivants».

L'hormone de croissance et la testostérone étant produites pendant le sommeil profond (REM), les phases du sommeil et le repos profond sont très importants.

INHIBER LA PRODUCTION D'AROMATASE

Votre régime et votre mode de vie déterminent la quantité d'enzyme aromatase (laquelle transforme la testostérone en œstrogène) produite dans votre corps. Une grande consommation de flavonoïdes (présents entre autres dans les fruits et légumes) permet d'inhiber la production de cette enzyme. Pommes, choux, oignons et ail sont de bonnes sources de quercitine (un puissant flavonoïde), tandis que l'apigénine est un flavonoïde présent dans le persil, le céleri et la camomille. La propolis et le pollen d'abeille contiennent aussi des quantités significatives de flavonoïdes.

La production d'aromatase peut aussi être responsable d'un taux d'insuline élevé, un important facteur d'obésité. Éviter les glucides et les aliments vides traités diminue le taux d'aromatase. On peut aussi favoriser l'inhibition de cette enzyme en maintenant un taux stable en zinc, un minéral présent dans la viande rouge, les graines de citrouille et les huîtres.

PERMIS

- ★ Viande, volaille et poisson
- ★ Œufs
- ★ Fruits
- ★ Légumes, surtout légumes-racines: carottes, navets, panais et rutabagas (éviter: pommes de terre et patates douces)
- ★ Noix: du Brésil, de macadam, noix et amandes (éviter les arachides, qui sont des légumineuses)
- ★ Petits fruits (bleuets, fraises, framboises, etc.)

INTERDIT

- ★ Céréales, incluant pain, pâtes, nouilles et céréales
- ★ Haricots, incluant haricots d'Espagne, haricots secs, lentilles, arachides, mange-tout et pois
- ★ Pommes de terre et patates douces
- ★ Produits laitiers
- ★ Sucre
- ★ Sel
- ★ Caféine

5

PLANIFICATION DES MENUS

Ce régime contient beaucoup de viande et peut parfois sembler très rigoureux. Choisissez des recettes inspirées du régime paléolithique, mais ne consommez aucun aliment défendu (voir p. 143). Mangez uniquement de la viande biologique ou provenant d'animaux nourris au fourrage.

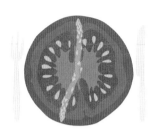

MATIN

Choisissez parmi les repas suivants:

1 Ragoût de bœuf aux tomates sur lit de brocoli vapeur

2 Bacon maigre avec œufs et tomates frites dans l'huile d'olive à feu moyen.

3 Blanc de volaille grillé, épinards vapeur et dés de carotte crus à l'huile d'olive extra vierge

4 Salade de carottes avec pomme râpée et restes de viande

5 Fruits, incluant mélange de petits fruits et jus de pamplemousse

6 Œufs brouillés avec lanières de blanc de volaille et une banane

7 Omelette aux tomates, poivrons et tranches de dinde

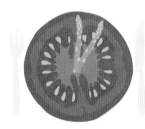

MIDI

Choisissez parmi les repas suivants:

1 Omelette avec tomates fraîches et petite salade verte

2 Un morceau de viande biologique maigre avec grosse salade

3 Maquereau ou sardines, œufs, mélange de légumes crus ou cuits à la vapeur et salade

4 Darne de saumon grillée et légumes cuits légèrement à la vapeur

5 Salade de thon ou de poulet

6 Bifteck de grand gibier avec thym frais et légumes verts

7 Sardines avec légumes cuits légèrement à la vapeur et un morceau de fruit

SOIR

Choisissez parmi les repas suivants:

1 Poulet entier farci aux herbes sous la peau avec salade de tomates et brocoli cuit légèrement à la vapeur (réserver les restes de poulet pour les goûters)

2 Rôti de porc, brocoli et chou-fleur cuits légèrement à la vapeur et salade de tomates aux pignons

3 Bifteck maigre, légumes cuits au four et brocoli cuit légèrement à la vapeur

4 Poisson vapeur, asperges et poireaux

5 Bifteck maigre et grosse salade avec tomates, noix et huile d'olive extra vierge

6 Soupe de légumes au bouillon de poulet et à la crème de coco

7 Viande de grand gibier avec brocoli, chou et carottes cuits légèrement à la vapeur

GOÛTERS

1 Noix

2 Carottes

3 Fruits

4 Céleri enveloppé de jambon séché

5 Saucisses de viande à 100 %

6 Pamplemousse

7 Olives

BOISSONS

Buvez seulement de l'eau; vous pouvez cependant boire de l'eau de noix de coco pour varier, si vous le souhaitez.

Si vous ne pouvez vous priver d'alcool, mélangez une mesure de vodka avec le jus d'une limette et un peu de soda. Évitez la bière et le vin.

LES MEILLEURS CONSEILS

★ Votre nouveau mantra est le suivant: contrôlez vos portions! Mangez seulement les deux tiers de ce que vous mangeriez normalement. Pour vous aider, servez vos aliments dans une petite assiette plutôt que dans une grande.

★ Si vous avez faim, préférez les goûters à base de protéines (ex.: achetez du blanc de volaille cuit sans peau). Lorsque vous ouvrez le réfrigérateur, il est bon que vous puissiez mettre la main sur des collations santé. Mangez vos protéines avec des crudités afin d'avoir une consommation maximale de légumes.

SUPPLÉMENTS pour les gros seins

Les changements alimentaires et les exercices rigoureux donnent de bons résultats, mais cela devient encore plus impressionnant en ajoutant des suppléments favorisant la production de testostérone. La combinaison gagnante? Régime, changements au mode de vie et suppléments efficaces!

MULTIVITAMINES ET MINÉRAUX QUOTIDIENS

Un supplément de multivitamine et de minéraux de qualité couvrira tous vos besoins nutritifs de base tout en vous évitant d'avoir une maladie ou une dysfonction causée par une déficience nutritive. Je recommande une multivitamine procurant 100 % de la dose recommandée par jour.

HUILE DE POISSON PURE

Prenez 6000 mg d'huile de poisson pure chaque jour ou, si vous êtes végétarien, 3000 mg d'huile de lin biologique pressée à froid (en capsule ou sur les aliments).

DIM

Le diindolylméthane (DIM) est un composé naturel dérivé de l'indole-3-carbinol présent dans les crucifères (brocoli, chou-fleur, etc.). Il aide au bon fonctionnement du métabolisme de l'œstrogène en favorisant la hausse du taux de testostéone libre dans le sang. Je recommande une dose quotidienne de 200 mg de DIM deux fois par jour prise avec des aliments. Consultez votre naturopathe ou une personne compétente pour en savoir davantage sur ce produit.

ZINC

La plupart des hommes qui me consultent ont une déficience en zinc. Celui-ci est pourtant essentiel à l'activité métabolique de plus de 300 enzymes, dont certaines sont impliquées dans le métabolisme des protéines, des glucides, du gras et de l'alcool. Un faible taux en zinc inhibe le métabolisme général (la vitesse à laquelle les aliments sont transformés en énergie) et favorise les dépôts adipeux. Des études laissent entendre que le zinc serait

5

passez à l'action!

important pour la production de testostérone. Il inhiberait aussi l'enzyme aromatase, qui convertit la testostérone en surplus d'œstrogène. Je recommande chaque jour un apport total de 30 mg en zinc. Si votre multivitamine en contient 15 mg, prenez une dose supplémentaire afin de combler vos besoins quotidiens.

TRIBULE TERRESTRE

Plusieurs hommes bien musclés qui passent leur temps au gymnase en prennent. En quelques semaines, vous pourrez voir vos seins diminuer. Le tribule terrestre (*Tribulus terrestris*), également appelé croix-de-Malte, est souvent prescrit aux hommes ayant des problèmes de libido puisqu'il est reconnu pour stimuler le taux de testostérone. Achetez des capsules normalisées à 40 % de saponines et à 60 % de protodioscines. Prenez une capsule de 300 mg deux fois par jour.

CALCIUM D-GLUTARATE

Cette substance naturelle est présente dans plusieurs fruits et légumes, particulièrement les pommes, choux de Bruxelles et brocoli. Son action est due en grande partie à l'inhibition du bêta-glucuronidase dans la muqueuse intestinale, ce qui permet au corps d'excréter des hormones telles que l'œstrogène avant qu'elles puissent être réabsorbées. Je recommande de commencer avec une dose de 1500 mg et d'augmenter jusqu'à 2000 mg pendant une période de deux semaines.

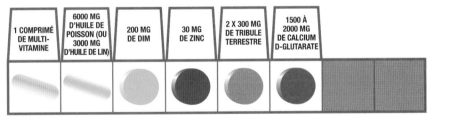

Programme d'**EXERCICE** pour les gros seins

Le but de ce programme est de stimuler votre taux de testostérone en développant vos muscles et en réduisant votre graisse. Vous vous sentirez plus fort et plus énergique. Relisez les p. 76 à 81 si vous avez besoin d'encouragements pour rester fidèle à votre programme d'exercice.

Faites les mouvements de résistance suivants: **AMENER AU SOL, FLEXIONS SUR JAMBES, DÉVELOPPÉ COUCHÉ AVEC HALTÈRES** et **SOULEVÉ DE TERRE** (p. 78 et 79). Ces mouvements sollicitent tous les muscles et augmentent la masse musculaire, ce qui permet d'optimiser le taux métabolique.

BUT

Apprenez à lever adéquatement une charge lourde. Reposez-vous pendant 90 secondes entre les mouvements pour consacrer le **MAXIMUM** d'effort à chaque exercice et avoir la force de soulever des charges lourdes. Lisez la description de chacun des exercices avant de commencer. Faites de 6 à 12 répétitions en vous dépassant chaque fois. Pour la première séquence, échauffez-vous en faisant 12 répétitions. Pour les deuxième et troisième séquences, travaillez à 80-100 % de votre capacité maximale. Vous devez vraiment vous surpasser pendant les troisième et quatrième séquences: augmentez la grosseur des haltères et faites de 6 à 10 répétitions. Reposez-vous pendant 90 secondes entre les exercices.

Contrôlez bien le rythme du mouvement et votre respiration, en bougeant et en respirant dans une proportion de 3-1 secondes.

Vous serez en mesure d'utiliser des haltères graduellement plus lourds, mais n'augmentez jamais le poids de plus de 20 % d'une séance à l'autre.

Afin de bien récupérer vos forces, faites une séance **TOUS LES DEUX JOURS,** soit **TROIS** fois par semaine.

EXERCICE CARDIO

Terminez chaque séance par un exercice cardio intense suivi d'une période de repos (2 minutes de cardio, 2 minutes de repos). Si vous n'êtes pas très en forme, marchez ou montez les escaliers pour vous rapprocher de votre effort maximal. Fournissez un maximum d'effort chaque fois. Apprenez à dépasser vos limites tout en respectant un temps de pause approprié.

AUTRES ACTIVITÉS

Demeurez actif: aller courir dans un parc, courez ou nagez avec ferveur. Une bonne nuit de sommeil et une activité de détente (marche, yoga) vous feront aussi beaucoup de bien.

passez à l'action!

PROGRAMME D'EXERCICE POUR LES GROS SEINS

Répétez les exercices 2 à 6 trois fois dans le même ordre		DURÉE/RÉPÉTITIONS
1 LÉGER ÉCHAUFFEMENT CARDIO (élevez votre fréquence cardiaque)	Course ou marche rythmée (ou cyclisme, aviron ou cross training)	3 minutes
2 HAUT DU CORPS 1er EXERCICE	Amener au sol ↓ 1 expirer ↑ 3 inspirer	6 à 12 répétitions Repos: 90 secondes
3 BAS DU CORPS 1er EXERCICE	Flexions sur jambes ↓ 3 inspirer ↑ 1 expirer	6 à 12 répétitions Repos: 90 secondes
4 HAUT DU CORPS 2e EXERCICE	Développé couché avec haltères ↓ 3 inspirer ↑ 1 expirer	6 à 12 répétitions Repos: 90 secondes
5 BAS DU CORPS 2e EXERCICE	Soulevé de terre ↓ 3 inspirer ↑ 1 expirer	6 à 12 répétitions Repos: 90 secondes
6 EXERCICE CARDIO	Course (ou marche rapide), vélo, rame ou natation	2 minutes à 80-90 % de l'effort maximum Repos: 2 minutes

CODE

↑ ↓ = sens du mouvement

3/2 = tempo (ex.: pousser: 1 seconde; revenir: 3 secondes)

Inspirer/expirer = quand respirer

CHAPITRE 6

Aller de l'avant

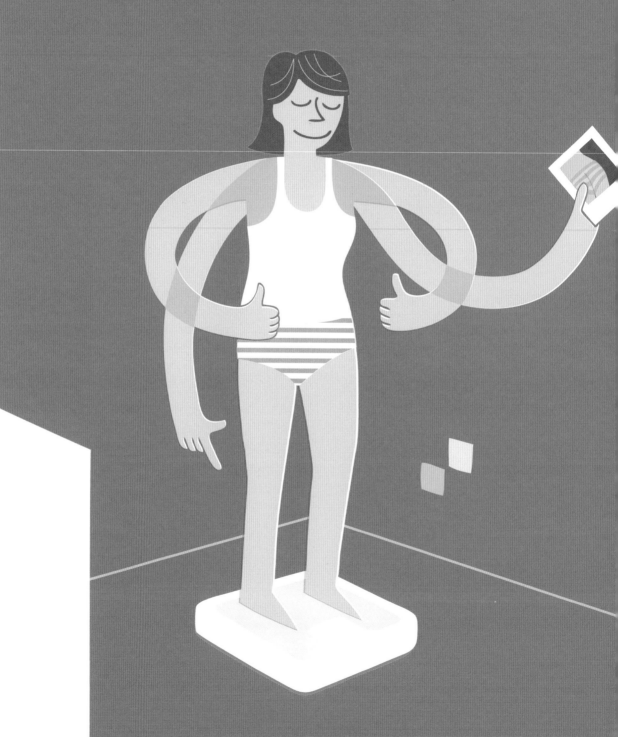

Si vous avez terminé votre programme de six semaines avec succès, vous méritez des félicitations! Vous avez réussi les premières étapes du processus de restauration de votre santé. Ce n'est qu'un début… le moment est maintenant venu d'aller de l'avant.

Aller de l'**AVANT**

Au cours des six dernières semaines, vous avez beaucoup appris sur vous et sur le fonctionnement de votre corps. Il est temps d'évaluer l'ampleur de vos progrès puisque votre programme arrive à son terme.

Afin de mieux apprécier votre succès, refaites entièrement les tests du pincement (p. 47 à 50) afin de comparer vos mesures avant et après le programme. Prenez une autre photo afin de mieux apprécier votre nouvelle silhouette.

VOUS AVEZ MAINTENANT TROIS CHOIX:

1 Admirer votre nouvelle silhouette et rester fidèle au régime méditerranéen en continuant à faire de l'exercice (le programme réservé à votre cas particulier si vous voulez).

2 Refaire le même programme de six semaines.

3 Identifier une autre partie de votre corps que vous aimeriez voir débarrassée de son dépôt adipeux.

POURQUOI RECOMMENCER LE PROGRAMME?

Si vous n'avez pas encore atteint votre but, vous pouvez répéter la cure de détoxication et le programme de six semaines jusqu'à ce que vous soyez satisfait des résultats (il n'y a pas de limites quant au nombre de fois). Par exemple, si votre abdomen est excessivement gros ou si vos cuisses sont énormes, le programme de six semaines ne suffira pas à vous donner entière satisfaction.

CHOISIR UN NOUVEAU PROGRAMME

Vous vous êtes attaqué à une zone de graisse spécifique, déterminée par votre score le plus élevé. Vous devez maintenant éliminer les autres dépôts adipeux risquant de vous causer des problèmes de santé. Certains sont plus dangereux et potentiellement dommageable. Voici la liste des six zones ciblées en commençant par les plus dangereuses:

1 Abdomen – cortisol

2 Dépôts adipeux sur les hanches – insuline

3 Bourrelets sous les omoplates – thyroïde

4 Gros seins (hommes) – testostérone

5 Bras flasques – testostérone

6 Dépôts adipeux sur les cuisses et les fesses – œstrogène

Si ce n'est déjà fait, faites le test du pincement cutané avant d'entreprendre un nouveau programme.

Comment maintenir **SON POIDS**

Voici quelques conseils si vous êtes satisfait de votre perte de poids et souhaitez la maintenir. Même si vous ne faites plus de régime, certaines règles sont toujours de mise.

1 FIXEZ-VOUS UN OBJECTIF SANTÉ pour les six prochains mois. Essayez de maintenir votre poids et, si vos dépôts adipeux réapparaissent, reprenez votre programme. Ne vous contentez surtout pas de prendre uniquement les suppléments sans autre effort.

2 RESPECTEZ LES RÈGLES SIMPLES DE MON RÉGIME MÉDITERRANÉEN

3 CONTRÔLEZ VOS PORTIONS Mangez toujours les deux tiers de ce que vous aviez l'habitude de consommer auparavant. Cela vous procurera de nombreux bienfaits sur le plan de la santé. Si vous n'y arrivez pas, consultez un spécialiste avisé afin de comprendre vos motivations profondes.

4 MASTIQUEZ En mastiquant bien, vous éprouverez plus rapidement une sensation de satiété et vous mangerez moins.

5 NE BUVEZ PAS EN MANGEANT Il n'y a rien de pire que de boire de l'eau avec son repas puisqu'elle dilue les sucs digestifs concentrés de l'estomac permettant de décomposer et de digérer les aliments. Un petit verre de vin est acceptable, mais pas plus.

6 NE MANGEZ PAS EN REGARDANT LA TÉLÉ Soyez conscient de la quantité d'aliments et de boissons que vous consommez.

7 CESSEZ DE MANGER DÈS QUE VOTRE ESTOMAC EST PRESQUE REMPLI – écoutez votre corps.

8 SERVEZ VOS ALIMENTS DANS UNE ASSIETTE ET UTILISEZ DES USTENSILES

QUELQUES CONSEILS QUI ONT FAIT LEURS PREUVES.

★ Ne servez pas les pâtes dans un grand bol… vous en mangerez trop.

★ Mesurez toujours le riz et les pâtes avant de les faire cuire.

★ Ne mentez pas quant au nombre de collations que vous prenez; soyez honnête.

★ Les légumes devraient constituer la moitié de votre assiette le midi et le soir.

★ N'emplissez pas votre assiette; resservez-vous si vous avez encore faim.

★ Placez vos collations de fruits et de légumes de façon bien visible.

★ Gardez les collations grasses et sucrées dans un endroit moins accessible.

★ Au restaurant, ne prenez que deux services et réduisez l'alcool au maximum.

**MANGEZ MOINS,
BOUGEZ PLUS!**

★ Marchez pour vous
  rendre au travail
★ Marchez pour aller faire
  vos courses
★ Bannissez la voiture
★ Bougez pendant vos
  vacances au lieu de vous
  étendre sur une plage
★ Faites de l'exercice
  chaque jour
★ Jardinez si vous en avez
  la chance

MANGEZ MOINS, BOUGEZ PLUS!

Les règles de base de la perte de poids sont si simples: mangez moins et bougez plus. Mais ce n'est pas si facile. Il est bon d'aller au gym, mais il est encore plus important d'être actif le plus souvent possible. Si vous restez assis 98 % du temps, vous finirez pas avoir un gros problème. Je veux que vous preniez la bonne habitude de demeurer **ACTIF!**

CALORIES VIDES ET ALIMENTS SANTÉ

Prenez le temps de lire cette comparaison entre la valeur nutritive d'une pomme et celle d'une barre de chocolat:

1 BARRE DE CHOCOLAT

50 g (1 ¾ oz)
225 calories

CONTENU NUTRITIONNEL
Sucre
Gras saturés
Sodium

1 POMME FRAÎCHE

100 g (3 ½ oz)
53 calories

CONTENU NUTRITIONNEL
Vitamines vitamines A, B$_6$, B$_{12}$, C, D, E et K, caroténoïde, rétinol, bêtacarotène, thiamine, riboflavine, niacine, biotine, folate, acide panthoténique
Minéraux boron, calcium, chlorure, chrome, cuivre, iode, fer, magnésium, manganèse, molybdène, phosphore, potassium, sélénium, sodium, zinc
Gras monoinsaturés acide myristoléique, acide pentadécénoïque, acide palmitoléique, acide heptadécanoïque, acide oléique, acide eicosénique, acide érucique, acide nervonique
Gras polyinsaturés myristol, linolénique, stéaridon, eicosatriénoïque, arachidon, EPA, DPA, DHA
Autres gras acides gras oméga-3, acides gras oméga-6
Acides aminés alanine, arginine, aspartate, cystéine, glutamate, glycine, histidine, isoleucine, leucine, lysine, méthionine, phénylalanine, proline, sérine, thréonine, tryptophane, tyrosine, valine, acide malique

Est-ce plus clair maintenant?

MANGER POUR VIVRE ET NON VIVRE POUR MANGER

Si vous êtes discipliné et que vous mangez normalement, vous pouvez omettre cette section. Toutefois, si vous mangez pour vous réconforter plutôt que pour vous nourrir, quelles en sont les raisons sous-jacentes? Souffrez-vous d'ennui, de dépression ou d'épuisement? Peut-être mangez-vous ainsi pour vous remonter le moral. Répondez le plus honnêtement possible aux questions suivantes:

1 Quelles sont les émotions que je tente de supprimer en mangeant?

2 Quelle est la faim intérieure que je tente d'apaiser?

3 Est-ce que je «mange» mon ennui ou ma frustration?

4 Manger m'empêche-t-il de penser à autre chose?

5 Est-ce que je mange en cachette?

6 Pourquoi suis-je incapable de m'arrêter après avoir mangé deux biscuits au chocolat?

7 Suis-je incapable de dire non quand on m'offre des aliments?

8 Est-ce que j'apprécie vraiment ce que je mange? Suis-je conscient de ce que je viens de manger?

9 Est-ce que je mange les restes – même ceux que mes enfants laissent dans leur assiette – pour éviter le gaspillage?

Si vous avez l'habitude de manger pour vous réconforter, vous finirez par prendre du poids. Si vous décidez de faire un régime sans mettre fin à cette mauvaise habitude, vos efforts seront vains.

FAITES LA PAIX AVEC VOTRE CORPS

Apprenez à avoir une meilleure relation avec votre corps. Comment peut-il avoir confiance en vous si vous faites un régime tout en négligeant les principes fondamentaux d'une bonne alimentation et les promesses que vous avez faites? Faites la paix avec votre corps et conservez une attitude positive saine et constante dès aujourd'hui.

ÉVITEZ LES TOXINES

Notre environnement est devenu très pollué. Apprenez à réduire la quantité de toxines chimiques qui pénètrent dans votre organisme. Optez pour les aliments biologiques dans la mesure de vos moyens. Appuyez les politiciens qui prônent un environnement plus propre. N'utilisez pas de pesticides ou d'insecticides et achetez des produits nettoyants non toxiques. Prenez des cosmétiques contenant peu ou pas de produits chimiques et utilisez le moins de médicaments possible. Adoptez un régime principalement constitué de végétaux et évitez les gras d'origine animale, qui contiennent des taux élevés de polluants chimiques dangereux.

TECHNIQUES DE RELAXATION

Le stress peut tuer. Un état de stress permanent peut conduire à la maladie ou à la mort. Il faut prendre pleinement conscience de ses effets dangereux. Je ne parle pas des petites choses ennuyantes de la vie, mais bien de problèmes non résolus pouvant être néfastes pour le corps et l'esprit. Si vous travaillez trop et n'avez pas de temps à consacrer à votre famille et à vos amis, vous devez changer les choses.

Déstressez votre vie en la simplifiant et suivez les conseils suivants.

1 Parlez de votre stress, de vos problèmes et de vos peurs avec un professionnel. Mieux vaut payer quelqu'un que de se confier à un ami qui a déjà ses propres difficultés.

2 Chaque jour, même si vous êtes très occupé, faites une activité qui vous aidera à éliminer une partie de votre stress. Voici quelques bonnes idées:

✔ Marcher
✔ Avoir un chien
✔ Cuisiner
✔ Faire du yoga
✔ Méditer
✔ Planter des arbres

✔ Lire des livres inspirants
✔ Jouer d'un instrument et chanter
✔ Nager
✔ Faire du vélo
✔ Prendre un long bain chaud
✔ Jardiner

PLANIFIER L'AVENIR

J'espère de tout cœur que vous avez atteint votre but et appris à mieux vous connaître. Voici mes dernières recommandations pour l'avenir.

✔ Fixez-vous un but à long terme pour votre santé, votre poids et votre bien-être.

✔ Inscrivez à votre agenda votre prochaine cure de détoxication de sept jours. Je propose que vous en fassiez une à tous les semestres (suivez la cure de détoxication du chapitre 4).

✔ Évitez de prendre du poids et de rester gros.

✔ Aimez votre corps tel qu'il est… vous n'en aurez jamais d'autre.

RESSOURCES

ÉTUDES PUBLIÉES

p. 26-27: *Journal of Diabetes Science and Technology,*
    1er mai 2010, 4 (3): 685-693.

p. 30-31: *Journal of Pharmacy and Pharmacology,*
    septembre 1998, 50 (9): 1065-1068.

p. 34-35: *Journal of Women's Health Gender-based Medicine,*
    avril 2000, 9 (3): 315 à 320.

TEST DE MÉDECINE FONCTIONNELLE

Lisez l'éditorial mensuel *Functional Medicine Masterclass* de
Benjamin Brown dans le magazine de médecine douce *CAM*.
Consultez aussi le site www.timeforwellness.org

Pour de plus amples renseignements sur Genova Diagnostics
Europe et le test de médecine fonctionnelle, consultez le site
www.gdx.uk.net

INDEX

REMERCIEMENTS

J'aimerais remercier Paul Ranson, B.Sc., qui a créé et testé les exercices proposés dans ce livre; Benjamin Brown, N.D., consultant en médecine douce, qui m'a apporté son aide inestimable dans le domaine des suppléments alimentaires; et le Dr Nigel Abrahams, Ph. D., compagnon de l'Institute of Biomedical Science et directeur scientifique de Genova Diagnostics pour l'Europe, qui a eu l'amabilité de porter un regard critique sur les théories présentées dans cet ouvrage.

Merci à Katherine pour son travail artistique remarquable ainsi qu'à Jane et Borra pour avoir cru en moi et m'avoir accompagné tout au long de ce travail de création.

Paul Ranson a une longue expérience dans le domaine de l'entraînement physique. En plus d'avoir étudié au American College of Sports Medicine, il a travaillé avec Gary Ward, fondateur d'Anatomy in Motion. Il a également suivi des cours avec Frank Forencich, leader américain dans le domaine de la mécanique du mouvement humain.

Catalogage avant publication de Bibliothèque et Archives nationales du Québec et Bibliothèque et Archives Canada

Tomlinson, Max
La guerre aux bourrelets
Traduction de: *Target your fat spots.*
Comprend un index.
ISBN 978-2-89455-590-3
1. Perte de poids. 2. Image du corps. I. Titre.
RM222.2.T6514 2013   613.7'12   C2012-940911-1

Nous reconnaissons l'aide financière du gouvernement du Canada par l'entremise du Fonds du livre du Canada (FLC) ainsi que celle de la SODEC pour nos activités d'édition.

Patrimoine canadien — Canadian Heritage   Canadá   SODEC Québec

Gouvernement du Québec – Programme de crédit d'impôt pour l'édition de livres – Gestion SODEC

Publié originalement en Grande-Bretagne en 2011 sous le titre *Target Your Fat Spots* par Quadrille Publishing, Alhambra House, 27-31 Charing Cross road, Londres, WC2H 0LS.

© 2011 Max Tomlinson pour le texte
© 2011 Paul Ranson pour le texte sur les exercices
© 2011 Nick Radford pour les illustrations
© 2011 Quadrille Publishing Limited pour la maquette et la conception graphique

Édition: Jane O'Shea
Direction artistique: Helen Lewis
Révision: Susannah Steel
Graphisme: Katherine Case
Illustrations: Nick Radford et Katherine Case
Direction de la production: Vincent Smith
Coordination de la production: Aysun Hughes

© Pour l'édition en langue française Guy Saint-Jean Éditeur Inc., 2012

Traduction et révision: Linda Nantel
Conception de la couverture et infographie: Christiane Séguin

Dépôt légal – Bibliothèque et Archives nationales du Québec, Bibliothèque et Archives Canada, 2012
ISBN: 978-2-89455-590-3

Distribution et diffusion
Amérique: Prologue
Belgique: La Caravelle S.A.
Suisse: Transat S.A.

Guy Saint-Jean Éditeur inc.
3440, boul. Industriel, Laval (Québec) Canada. H7L 4R9 • 450 663-1777
Courriel: info@saint-jeanediteur.com • Web: www.saint-jeanediteur.com

Imprimé en Chine

ASSOCIATION NATIONALE DES ÉDITEURS DE LIVRES